D0533444
PUBLICATION DATE: 01.03.18
DO NOT REMOVE
FILE COPY

DANS LA CAVE

DU MÊME AUTEUR

Aux Éditions Robert Laffont

Le Sang du renard, 2004.
La Disparue de Colliton Park, 2005.
Les Démons de Barton House, 2006.
L'Ombre du caméléon, 2008.

MINETTE WALTERS

DANS LA CAVE

Traduit de l'anglais par Odile Demange

Roman

Robert Laffont

Titre original : THE CELLAR

ISBN 978-2-221-19195-8
(édition originale : ISBN 978-1-44344-894-9,
HarperCollins Publishers Ltd ; pour la fin alternative :
ISBN 9780099594642, Arrow Books
(Penguin Random House Group)
en association avec Hammer, 2015)

Pour Charlotte

« Une haine passionnée peut donner
un sens et un but à une existence vide. »

Eric Hoffer

L'obscurité parle.
Elle chuchote des mots de réconfort dans les murs
et dans les toiles que tissent les araignées.
L'obscurité respire.
Doucement. Paisiblement.
Réchauffant l'air de son haleine suave.
L'obscurité caresse.
Elle enlace ce qu'elle aime d'une étreinte
vigoureuse et apaise la souffrance.
L'obscurité voit.
L'obscurité entend.

ÉTÉ

1.

La vie de Muna s'améliora le jour où le plus jeune fils de M. et Mme Songoli ne rentra pas de l'école. Pas sur le coup. Sur le coup, elle éprouva une grande peur quand Yetunde Songoli pleura, hurla et lui donna des coups de badine parce que le petit garçon de dix ans n'était pas dans sa chambre. M. Songoli mit fin à la punition. *Sois raisonnable*, ordonna-t-il à sa femme. *La police posera des questions si elle remarque qu'elle a les bras couverts de bleus.*

Peu après, Yetunde installa Muna dans une chambre avec un lit et une fenêtre. Elle lui fit enfiler une robe aux couleurs vives et noua des rubans assortis dans ses cheveux sans cesser de lui cracher qu'elle était une sorcière et un démon. Muna avait dû leur jeter un sort. Sinon, pourquoi Abiola n'était pas rentré ?

Restée seule, Muna examina son reflet dans le miroir mural. Était-ce ce que M. Songoli avait en tête lorsqu'il avait conseillé à sa femme d'être « raisonnable » ? De la faire belle, elle, Muna ? Elle n'y comprenait rien. Au bout d'un moment qui lui parut interminable, elle entendit des voitures s'arrêter le long du trottoir, la sonnette carillonner et des voix inconnues parler dans l'entrée. Elle se serait tapie dans un coin obscur si Yetunde ne lui avait pas donné l'ordre de s'asseoir sur le lit. C'était inconfortable – il fallait rester droite, ce qui lui faisait mal au dos – mais elle ne bougea pas. L'immobilité était devenue son amie au fil des années. Elle lui permettait de passer inaperçue.

Elle commençait à espérer qu'on l'avait oubliée quand elle entendit quelqu'un monter l'escalier. Elle identifia la démarche pesante de Yetunde Songoli, mais ne reconnaissait pas les pas plus légers qui la suivaient. Elle tourna un regard impassible vers la porte, qui s'ouvrit sur le grand corps bouffi de Yetunde et sur la silhouette svelte d'une Blanche vêtue d'une chemise et d'un pantalon. Muna l'aurait prise pour un homme si sa voix, quand elle parla, n'avait pas été aussi douce.

Yetunde s'assit sur le lit et passa affectueusement le bras autour de la taille de Muna. Elle était si lourde que le matelas s'affaissa et que Muna bascula contre elle. Elle était trop menue pour faire contrepoids. *Ne lui montre pas que tu as peur*, l'avisa Yetunde en haoussa. *Souris à cette policière quand elle te sourit et parle quand je te poserai des questions. Peu importe ce que tu dis. C'est une Anglaise blanche, elle ne comprend pas le haoussa.*

Souris. Muna fit de son mieux pour reproduire la tendre inflexion des lèvres de la Blanche, mais elle n'avait plus fait cela depuis si longtemps que sa mimique était contrainte. *Parle.* Elle ouvrit la bouche et remua la langue, mais aucun son ne sortit. Elle avait trop peur pour articuler tout haut les mots qu'elle s'entraînait à chuchoter toutes les nuits. Yetunde serait convaincue qu'elle était possédée par des démons si elle prononçait une phrase en anglais.

— Quel âge a-t-elle ? demanda la Blanche.

Yetunde caressa la main de Muna.

— Quatorze ans. C'est mon aînée, mais son cerveau a été endommagé à la naissance et elle a des difficultés d'apprentissage. – Des larmes roulèrent sur ses grosses joues. – Ce malheur ne suffisait-il donc pas ? Fallait-il encore que je perde mon petit Abiola chéri ?

— Il n'y a aucune raison d'envisager le pire pour l'instant, madame Songoli. Il arrive que les petits garçons de dix ans fassent l'école buissonnière. Il est probablement chez un camarade.

— Il n'a jamais fait ça. L'école aurait dû appeler mon mari à son bureau puisqu'elle n'est pas arrivée à me joindre. Les frais de scolarité sont assez élevés. Se contenter de laisser un message sur le répondeur... Comment peut-on être aussi irresponsable !

La Blanche s'accroupit pour se mettre au niveau de Muna.

— Vous dites avoir été absente toute la journée. Et votre fille ? Où était-elle ?

— Ici. Nous avons obtenu l'autorisation de la scolariser à domicile. Une femme qui parle haoussa vient lui donner des cours tous les matins. – Les doigts ornés de bagues de Yetunde lâchèrent la main de Muna pour lui caresser la joue. – Les enfants peuvent être si cruels. Mon mari ne voulait pas risquer qu'ils se moquent d'elle à cause de son handicap.

— Elle ne prend pas de cours d'anglais ?

— Non. Elle a déjà du mal à s'exprimer en haoussa.

— Pourquoi son professeur n'a-t-il pas décroché quand l'école a téléphoné ?

— Ça ne fait pas partie de ses attributions. Elle n'est pas payée pour répondre à des appels qui ne lui sont pas destinés. – Yetunde se tamponna les yeux avec un mouchoir en papier. – Moi qui ne sors presque jamais ! N'importe quel autre jour, j'aurais été là.

— Vous nous avez dit avoir compris qu'il était arrivé quelque chose d'inhabituel en consultant le répondeur, à votre retour, à dix-huit heures. – Toujours accroupie, la Blanche dévisageait Muna attentivement. – Votre fille a tout de même dû s'étonner qu'Abiola ne rentre pas à l'heure habituelle. Voulez-vous bien lui demander pourquoi elle ne vous a pas prévenue dès que vous avez ouvert la porte ?

Yetunde pinça la taille de Muna.

Elle parle d'Abiola. Regarde-moi et prends l'air soucieux. Dis quelque chose.

Muna tourna la tête et chuchota les seuls mots qu'elle était autorisée à prononcer :

Oui, Princesse. Non, Princesse. Puis-je faire quelque chose pour vous, Princesse ?

Yetunde s'essuya à nouveau les yeux.

— Elle a cru qu'il était avec notre aîné, Olubayo. Il lui arrive d'emmener son petit frère au parc. – Un gros soupir s'échappa de sa poitrine. – Si seulement j'avais été là ! Nous avons perdu un temps si précieux !

Muna se demanda si la Blanche ajouterait foi à un tel mensonge et garda le regard soigneusement baissé de crainte que les yeux bleus ne lisent dans les siens que Yetunde fabulait. Muna avait tout intérêt, elle le savait, à ce qu'on la croie trop sotte pour apprendre une autre langue que le haoussa.

— Nous allons devoir fouiller la maison et le jardin, madame Songoli. J'espère pouvoir compter sur votre compréhension, annonça la Blanche en se relevant. C'est la procédure habituelle en cas de disparition d'enfant. Abiola a pu se cacher quelque part au lieu d'aller à l'école. Nous essayerons de vous occasionner le moins de gêne possible, mais je vous demanderai de faire descendre votre fille au rez-de-chaussée pour que l'ensemble de votre famille soit réuni dans une seule pièce.

Si Muna avait été sensible au comique de situation, elle aurait certainement ri en entendant Yetunde ordonner à Olubayo de la traiter comme sa sœur. Mais l'humour et le rire lui étaient aussi étrangers que le sourire et la parole. Elle pensa en revanche aux coups de pied et aux gifles que ne manquerait pas de lui asséner Olubayo dès que les Blancs seraient partis. Il était grand pour ses treize ans, et Muna redoutait le jour où il deviendrait un homme. Ces derniers temps, il lui était arrivé plusieurs fois, levant les yeux de son travail, de le trouver, le regard rivé sur elle, en train de se frotter l'aine au chambranle de la porte.

Sous ses paupières baissées, elle observa les visages de M. et Mme Songoli. Comme ils étaient inquiets !

pensa-t-elle. Était-ce la disparition d'Abiola qui les préoccupait tant, ou la présence des policiers chez eux ? Quand Yetunde l'avait fait descendre de l'étage, Muna avait remarqué que la porte de la cave était ouverte. Une ampoule éclairait désormais le sommet des marches, bannissant l'obscurité dans laquelle elle avait vécu et lui révélant que son matelas et son petit sac d'affaires avaient disparu du sol de pierre, au pied de l'escalier.

Elle songea que sa prison avait l'air bien inoffensive à présent, brillamment éclairée et sans rien qui puisse trahir qu'un être humain avait dormi là. Elle se prit à espérer que, peut-être, les Blancs étaient plus gentils que les Noirs. Sinon, pourquoi les Songoli leur cacheraient-ils la vérité à son sujet ? Une seule fois, Muna coula un regard furtif vers la femme en pantalon. Elle interrogeait Olubayo sur les amis d'Abiola, et le cœur de Muna tressaillit d'effroi lorsqu'elle constata que les yeux bleus n'étaient pas fixés sur le garçon, mais sur elle. Les trouvant intelligents et sages, elle trembla à l'idée que cette femme sache qu'elle comprenait tout ce qui se disait.

Devinerait-elle que Muna avait écouté le message laissé sur le répondeur et avait su dès le début de la journée qu'Abiola n'avait pas mis les pieds à l'école ?

Les enquêteurs revinrent, secouant la tête : ils n'avaient trouvé aucune trace du petit garçon, en revanche, un téléphone portable était en charge dans sa chambre. Yetunde confirma que c'était celui d'Abiola et se remit à sangloter en apprenant que son fils ne l'avait pas sur lui. Elle se balançait d'avant en arrière, émettant des hululements suraigus, tandis que son mari, furieux, faisait les cent pas sur le tapis, maudissant le jour où il avait conduit sa famille dans ce misérable pays. Serrant les poings, il projeta son visage injecté de sang devant celui de la Blanche, exigeant de savoir ce que la police faisait.

Cette férocité aurait fait trembler Muna, mais la policière resta de marbre. Prenant calmement Ebuka par le bras, elle le reconduisit à son siège pour qu'il pleure son fils bien-aimé. Elle semblait exercer un grand pouvoir sur les hommes. Alors que Yetunde tapait du pied et fulminait pour obtenir ce qu'elle voulait, la Blanche, sans élever la voix, donnait des ordres auxquels tous obéissaient. Elle passa un appel téléphonique pour demander à un agent de la protection de l'enfance de vérifier le contenu de l'ordinateur et du smartphone d'Abiola. Elle réclama à Yetunde et Ebuka des photos et des vidéos de leur fils. Des sacs contenant des vêtements à lui, sa brosse à dents et son peigne furent emportés. Des sandwichs et des pizzas livrés.

Pendant tout ce temps, elle ne cessa de poser des questions à la famille. Abiola leur avait-il paru malheureux récemment ? Était-il victime de harcèlement scolaire ? Passait-il de longues heures enfermé dans sa chambre à surfer sur Internet ? Était-ce un petit garçon très secret ? Ses parents connaissaient-ils ses camarades ? Fréquentait-il un gang ? Le conduisait-on à l'école tous les jours ou y allait-il tout seul ? Qui lui avait dit au revoir ce matin ?

Muna ne reconnaissait pas le portrait que traçaient les réponses de Yetunde et Ebuka. Ils décrivaient Abiola comme un petit garçon apprécié de tous, qui partait à l'école avec son frère tous les matins, impatient d'aller en classe. Ils ne racontèrent pas qu'il mouillait son lit presque toutes les nuits, ni qu'il donnait des gifles et des coups de pied à sa mère quand elle lui demandait de faire quelque chose qui ne lui plaisait pas. Ils ne mentionnèrent pas qu'il fallait le convaincre d'aller à l'école en le bourrant de friandises que Yetunde lui fourrait dans la bouche de ses propres doigts. Voilà pourquoi la mère et le fils étaient aussi gras et empâtés l'un que l'autre. Pour chaque bonbon poisseux que Yetunde donnait à Abiola, elle s'en octroyait un.

Toute cette affaire était arrivée, pensait Muna, parce que M. Songoli avait décommandé la voiture qui conduisait les garçons à l'école tous les matins et les ramenait tous les après-midi. Il en avait eu assez qu'ils soient élevés dans du coton et leur avait déclaré que l'instruction se méritait et qu'ils devaient apprendre à en avoir aussi passionnément envie que les enfants de la brousse africaine. Et voilà qu'Olubayo débitait d'énormes mensonges sur ce qui s'était passé ce matin-là, jurant, main sur le cœur, qu'il avait accompagné Abiola jusqu'à la grille de l'école. Muna savait que ça ne pouvait pas être vrai. Olubayo détestait tellement Abiola, et Abiola le lui rendait si bien, qu'ils ne faisaient jamais rien ensemble.

Peut-être la Blanche ne croyait-elle pas non plus à cette fable, car elle demanda à Yetunde si elle avait vu les garçons s'éloigner. Et, bien sûr, Yetunde répondit que oui. Jamais elle n'avouerait en présence de son mari qu'au moment de leur départ elle était assise devant son miroir à s'enduire la peau d'une coûteuse crème blanchissante. Ces extravagances dispendieuses agaçaient Ebuka.

— J'aimerais poser la même question à votre fille, madame Songoli. Pouvez-vous la lui transmettre ?

Yetunde éleva la voix.

Lève les yeux, Muna. Cette dame te demande si tu as vu Olubayo et Abiola partir de la maison ce matin. Hoche la tête et dis quelque chose. Elle veut t'entendre parler.

Muna fit ce qu'on lui demandait. *Oui, Princesse. Non, Princesse. Que puis-je faire pour vous, Princesse ?* Mais tout en murmurant ces mots en haoussa, elle regrettait de n'avoir pas le courage de prononcer les paroles qu'elle s'exerçait à dire toutes les nuits : « S'il vous plaît, aidez-moi. Je m'appelle Muna. M. et Mme Songoli m'ont volée quand j'avais huit ans. J'aimerais rentrer chez moi mais je ne sais pas qui sont mes parents ni d'où je viens. »

2.

Les seuls adultes que Muna se rappelait avoir connus dans son enfance étaient des religieuses et des prêtres à la peau d'un blanc éclatant. Les années avaient estompé leurs traits et effacé leurs noms, mais elle avait l'impression d'avoir été heureuse lorsqu'elle vivait avec eux. Elle avait moins de mal à se remémorer les visages noirs rayonnants des autres enfants. Les détails lui revenaient plus facilement lorsque les gens lui ressemblaient. Elle rêvait parfois qu'elle jouait dans la poussière d'une cour baignée de soleil, pleine de couleurs et de lumière, mais elle ne savait ni où cette cour se trouvait ni pourquoi elle y était.

Sa nouvelle vie avait commencé le jour où Yetunde était venue la réclamer. Cette grande femme vêtue d'un superbe *kaba* bleu vif, coiffée d'un *gele* assorti et portant des colliers en or autour du cou, était en possession de documents prouvant ses droits sur l'enfant. Avec un rire de bonheur, elle avait prétendu que Muna était sa nièce, elle l'avait serrée dans ses bras, couverte de baisers, et lui avait dit qu'elle était très jolie. Alors Muna avait souri en regardant la dame dans les yeux comme si elle la connaissait. Aucun prêtre n'aurait eu l'idée de douter de l'amour qui les unissait, d'autant plus que Yetunde Songoli avait présenté un acte juridique lui accordant la garde de la fillette, âgée de huit ans, de sa défunte sœur.

Muna s'était-elle méfiée ? Non. Si elle avait éprouvé un sentiment quelconque, c'était de la timidité teintée d'admiration à l'idée d'appartenir à la même famille que quelqu'un d'aussi riche et d'aussi beau que Tante Yetunde. Quant à savoir pourquoi on l'avait confiée aux religieuses ou comment Yetunde Songoli avait eu l'idée de venir la chercher dans cet endroit, elle ne s'en souvenait plus, si tant est qu'on le lui ait expliqué. Son souvenir le plus vif de ce jour-là était d'avoir franchi en gambadant la grille de l'école à côté de sa tante sans jeter un seul regard en arrière vers le lieu qu'elle avait considéré comme chez elle.

À présent, tant d'années plus tard – *cinq, six, sept ans ?* –, Muna regrettait que sa mémoire ne soit pas plus précise. À la réflexion, il s'agissait sans doute d'un orphelinat et le prêtre ne connaissait probablement pas son nom de famille, en admettant qu'elle en ait eu un. À moins que cet homme n'ait été aussi méchant que Yetunde Songoli ? Peut-être se faisait-il passer pour un prêtre afin de gagner de l'argent en vendant des petites filles sans mère à des femmes bien habillées qui présentaient des papiers ? Muna se refusait à le croire. Elle préférait penser que les Blancs étaient plus gentils que les Noirs, mais au fond de son cœur elle en doutait. Elle avait bien remarqué la froideur et l'hostilité avec lesquelles les passants se croisaient dans la rue devant la maison où elle habitait, sans prendre la peine d'échanger un bonjour ni même un sourire.

Ses pires terreurs étaient nocturnes. De jour, elle parvenait à croire en elle, mais dans les ténèbres solitaires de la cave elle allait jusqu'à douter de son existence même. Elle avait beau essayer de distinguer les murs et le sol, ou sa main toute proche de son visage, il n'y avait que l'obscurité. Et l'obscurité était plus vivante qu'elle.

Seule la douleur lui rappelait qu'elle était bien réelle. Quand elle effleurait les cicatrices entre ses cuisses, là où une sorcière lui avait coupé un morceau, ses yeux ruisselaient de larmes d'angoisse. *Cela te purifiera,* avait dit la femme tandis que Yetunde la maintenait allongée et que le couteau entaillait les chairs intimes de la petite Muna.

Cette phrase n'avait aucun sens pour Muna, incapable de comprendre comment le supplice qu'elle subissait chaque fois qu'Ebuka perçait de nouvelles déchirures dans son trou déformé pouvait la purifier. Elle ne savait pas pourquoi il le faisait et tremblait d'effroi chaque fois que la porte de la cave s'ouvrait et que la torche électrique éclairait les marches. Elle ne voyait jamais son visage. Il devenait aussi invisible qu'elle dès que la lampe était éteinte et qu'il pressait brutalement sa main sur sa bouche pour étouffer ses gémissements. Elle n'identifiait Ebuka qu'à son odeur et à ses grognements porcins.

Peut-être la pureté venait-elle de la douleur brûlante qu'elle éprouvait en urinant ou de la crainte que lui inspirait le sang qui avait mystérieusement commencé à s'écouler de son corps une fois par mois. Désormais, Ebuka ne venait plus la voir que quand elle saignait, comme si le liquide qui sortait de lui ne pouvait être lavé que par celui qui sortait de Muna.

Yetunde lui demandait souvent si elle avait recommencé à saigner entre les jambes, mais elle répondait toujours que non. Sans savoir pourquoi, elle avait le sentiment que c'était un secret qu'elle ne devait pas trahir. Elle ne connaissait pas grand-chose en dehors de la cuisine et du ménage, des compétences qu'elle avait acquises à force de recevoir des coups de badine à chaque maladresse. Il y avait tant d'inconnues dans sa vie. Qui elle était. D'où elle venait. Quel âge elle avait. Où elle se trouvait et comment elle était arrivée ici.

Elle se rappelait être montée, devant la grille de l'école, dans une voiture gris métallisé qui l'avait conduite à travers des rues pleines de gens et d'étals de marché, elle se rappelait le sourire de Tante Yetunde lui glissant un bonbon à la noix de coco entre les lèvres. La suite de ses souvenirs était confuse et décousue. Elle se rappelait la sorcière et son couteau parce que la douleur l'avait réveillée et l'avait fait hurler, mais elle avait l'impression d'avoir dormi presque tout le temps.

Certaines images lui revenaient régulièrement à l'esprit. Yetunde lui fourrant des bonbons à la noix de coco dans la bouche. La barbe d'un homme contre sa joue alors qu'il la portait dans ses bras à travers une grande salle. La voix de Yetunde disant que l'enfant était la fille de l'homme. Le vrombissement de moteurs. Des rangées de gens assis. La sensation d'être soulevée de terre. D'être portée à travers une autre salle. La pluie sur son visage. Son réveil ici, dans l'obscurité de cette cave, où elle n'avait plus jamais senti le goût de la noix de coco.

Muna pensait que le barbu devait être Ebuka, mais elle ne s'expliquait pas pourquoi il avait fait semblant un jour d'être son père. Elle supposait que ses autres souvenirs étaient ceux d'un voyage. Le lieu qu'elle avait quitté était ensoleillé et coloré, alors qu'ici la seule teinte vive était le vert de l'herbe et des feuilles des arbres. Elle regrettait de n'avoir pas tracé une marque chaque fois qu'elles se coloraient de brun doré, car cela signifiait qu'une nouvelle année s'était écoulée, mais son esprit d'enfant avait été trop occupé à compter chaque heure de la journée pour penser à l'avenir.

Par les fenêtres de la chambre, à l'étage, elle pouvait voir le monde au-delà du grand mur de brique qui entourait le jardin. Au loin, d'immenses bâtiments s'élevaient vers le ciel, mais tout près il n'y avait que des maisons comme celle-ci, dissimulées derrière des murs et ombragées par des arbres. Elle distinguait plus de choses à travers la grille métallique qui fermait la courte allée quand elle époussetait les pièces du rez-de-chaussée qu'elle n'en apercevait d'en haut. Des gens qui marchaient. Des gens dans des voitures. C'est ainsi qu'elle avait appris qu'elle vivait dans un monde de Blancs. Elle avait fini par reconnaître ceux qui passaient tous les jours devant la grille, mais ils ne tournaient jamais les yeux vers Muna.

S'ils l'avaient fait, elle aurait eu tellement peur qu'elle se serait glissée précipitamment derrière les rideaux. Elle n'avait pas le droit de lever les yeux vers quiconque. Elle chuchotait des mots la nuit pour ne pas oublier qu'elle avait une voix, tout en tremblant d'être entendue. Quand elle avait supplié qu'on la laisse retourner dans la cour d'école qu'elle connaissait, Yetunde avait prétendu que Muna était possédée par des démons et elle avait versé de l'huile brûlante sur les pieds nus de l'enfant pour lui apprendre que les démons tenaient des propos ingrats.

Tu n'es pas heureuse de servir ta tante ? avait demandé Yetunde.

Si, Princesse, avait répondu Muna.

Muna avait très peur que la Blanche en pantalon puisse voir à travers son crâne ce qu'il y avait dans son cerveau. Elle sentait le regard acéré de ses yeux bleus rayonnants d'intelligence s'enfoncer dans sa tête. Ses oreilles lui avaient-elles révélé que Muna avait prononcé deux fois exactement les mêmes paroles ? Une affreuse terreur nouait son ventre. Yetunde manierait la badine avait encore plus de cruauté si elle pouvait imputer à la petite Muna les soupçons de la police.

— As-tu vérifié qu'Abiola te suivait quand tu as franchi la grille de l'école ? demanda la Blanche à Olubayo.

— Non. J'ai couru rejoindre mes copains.

Olubayo poussa un gémissement soudain, comme s'il se rappelait qu'il était censé éprouver du chagrin.

— Est-ce un reproche que vous faites à mon fils ? demanda Ebuka Songoli avec colère.

— Bien sûr que non, monsieur, mais nous aurons besoin des noms de tous les enfants qu'il se rappelle avoir vus à la grille quand il est arrivé. Une de nos équipes fouille les locaux de l'école pour s'assurer qu'il n'a pas eu un accident, mais s'il n'est pas entré dans la cour, un parent ou un autre élève aura peut-être vu ce qui s'est passé. – Elle s'interrompit. – Nous souhaitons établir s'il s'est éloigné seul ou avec quelqu'un.

— Il s'est fait enlever par un inconnu. Quel pays épouvantable ! Une chose pareille n'arriverait jamais chez nous.

— Si quelqu'un l'a emmené, il s'agissait certainement d'une connaissance, monsieur Songoli. Il y avait trop de monde dans les parages et la couverture de vidéosurveillance est trop dense pour qu'un inconnu puisse enlever un enfant. Une de mes équipes est en train de visionner les images de ce matin avec le concierge de l'école, mais si Olubayo pouvait m'indiquer des noms, cela nous serait d'un grand secours. Nous sommes vendredi, ce qui nous laisse peu de temps pour trouver des témoins avant que les élèves ne partent pour le week-end.

Muna sentait l'inquiétude d'Olubayo qui, assis à côté d'elle, prononçait en bégayant les noms qu'il se rappelait. Qu'il était bête ! Croyait-il vraiment que personne n'aurait remarqué qu'il était arrivé seul ? Depuis quatre jours, depuis que leur père avait décommandé leur taxi, il prenait ses jambes à son cou dès que le mur qui entourait le jardin les dissimulait, Abiola et lui, à la vue de Yetunde. Muna, dont la première tâche matinale était de faire le ménage dans les chambres des garçons, sous le toit, avait repéré son manège. Pendant qu'Olubayo filait en riant, son frère grassouillet restait à la traîne, se dandinant et versant des larmes de rage.

Elle n'avait pas voulu en parler à Yetunde parce qu'Olubayo l'aurait frappée si elle l'avait fait. Et elle n'avait aucune envie de recevoir des coups de badine parce qu'elle interrompait ses corvées pour dire à la Princesse des choses que celle-ci n'avait pas envie de savoir. La tâche de Muna consistait à laver les draps d'Abiola, pas à se soucier qu'il soit abandonné dans la rue. Elle n'éprouvait aucune affection pour lui. C'était un garçon paresseux et sale, qui souillait son lit parce que Muna était là pour le nettoyer. Il lui arrivait même d'étaler des excréments sur ses draps pour lui donner encore plus de travail.

La paresse l'avait rendu idiot, et Muna ne pouvait que lui en savoir gré. Il avait eu tant de mal à apprendre l'anglais que M. Songoli avait été obligé de lui faire donner des cours particuliers à domicile. Yetunde n'ayant pas l'intention d'y assister, les leçons se tenaient dans la salle à manger ; et comme il ne fallait pas que des étrangers puissent voir Muna, celle-ci avait reçu l'ordre de ne pas sortir de la cuisine pendant que le professeur était là. Elle s'était souvent demandé comment il avait pu échapper à Yetunde qu'elle entendait tout ce qui se disait par le passe-plats reliant les deux pièces.

Peut-être Yetunde croyait-elle vraiment à ce qu'elle répétait à tout bout de champ, que Muna était trop stupide pour se débrouiller seule.

Tu peux me remercier de t'avoir prise sous ma protection, disait-elle en frappant Muna avec la badine chaque fois qu'elle l'avait mécontentée. *Si les Songoli ne t'avaient pas recueillie, tu ne serais rien.*

Muna n'avait pas le droit de regarder la télévision, ni d'écouter la radio, mais même lorsqu'elle était accroupie à sa place habituelle, dans l'angle de la cuisine, elle entendait ce qu'écoutaient les Songoli parce qu'ils réglaient le volume très haut. Au début, elle ne comprenait que le langage des émissions pour enfants d'Olubayo et d'Abiola, mais au fil des ans elle avait assimilé le vocabulaire des talk-shows que Yetunde aimait regarder dans la journée. Et quand Ebuka rentrait, le soir, elle apprenait la langue des actualités en préparant le dîner.

Guerre… assassinat… viol… violence… haine… intolérance… cruauté.

Muna était capable de prononcer des phrases entières dans sa tête, mais elle avait du mal à contraindre sa bouche à les articuler. Le plus souvent, elle se demandait même si ça valait la peine d'essayer. À en croire tout ce qu'elle entendait, le monde extérieur était aussi affreux et aussi effrayant que dans les descriptions qu'en donnaient Yetunde et Ebuka.

3.

Une semaine s'écoula. Le visage d'Abiola s'affichait régulièrement sur l'écran du téléviseur, et M. Songoli fulminait contre les journalistes et les cameramen qui campaient devant le jardin, pointant leurs objectifs vers ses fenêtres. Les policiers prirent les empreintes digitales de tous les occupants de la maison et réalisèrent d'autres prélèvements sur les meubles de la chambre d'Abiola. Ce menteur d'Olubayo fut trahi par les images de vidéosurveillance qui révélèrent qu'il était arrivé seul à l'école et que, pire encore, Abiola n'y avait pas mis les pieds ce jour-là. Une habitante d'une rue voisine prétendit avoir vu quelqu'un faire monter un garçon noir dans une voiture de la même marque et de la même couleur que celle de M. Songoli.

La maison fut fouillée une seconde fois, encore plus à fond, et la police emmena Ebuka et Yetunde pendant plusieurs heures pour les interroger ailleurs. En leur absence, la policière fit venir une dame qui parlait haoussa pour qu'elle pose des questions à Muna. C'était une femme de l'âge de Yetunde qui s'exprimait d'un ton impatient et regardait durement Muna en lui traduisant les propos de la Blanche, auxquels elle ajoutait des commentaires de son cru.

La policière s'appelle inspectrice Jordan, dit-elle. *Lève la tête quand tu lui parles. Réponds librement. Inutile d'avoir peur. Tu n'as rien à craindre si tu dis la vérité.*

Muna en doutait. Elle avait vu avec quelle brutalité Ebuka avait frappé Olubayo parce qu'il avait déshonoré la famille en racontant des mensonges. Et si cette dame qui parlait haoussa était une amie de Yetunde et refusait de répéter à la Blanche ce que Muna disait à propos des Songoli qui l'avaient volée dans un orphelinat ? La Blanche – l'inspectrice Jordan – n'apprendrait rien, tandis que l'autre la dénoncerait ensuite à Yetunde et lui dirait que Muna n'était qu'une ingrate. Elle tremblait en pensant à la correction qu'elle recevrait.

Mieux valait se faire passer pour la fille handicapée des Songoli. Depuis qu'une dame qui était agent de liaison de la police se trouvait dans la maison, Muna n'était plus obligée de faire le ménage et la cuisine du matin au soir, de dormir dans la cave obscure et de s'habiller comme une domestique. Elle avait le droit de porter des jolies robes comme Yetunde, de coucher dans une chambre avec des fenêtres et l'électricité et de s'asseoir tous les soirs avec la famille pour regarder et écouter la télévision pendant qu'on continuait à rechercher Abiola.

Certaines questions de l'inspectrice Jordan étaient simples et il était facile d'y répondre par oui ou par non. Tu aimes Abiola ? *Oui.* Tu l'as vu partir pour l'école ce matin-là ? *Oui.* Est-il revenu après avoir été abandonné par Olubayo ? *Non.* Penses-tu qu'Olubayo aurait pu faire du mal à son frère ? *Non.* Penses-tu que ton père aurait pu lui faire du mal ? *Non.*

D'autres étaient plus compliquées à cause de tous les mensonges qu'avait improvisés Yetunde au début. Comment s'appelle la dame qui vient te donner des leçons ? *Il n'y a pas de dame.* Pourquoi ta mère a-t-elle dit qu'il y en avait une ? *Elle avait peur.* Peur de quoi ? *Que vous me forciez à aller à l'école.* Tu ne veux pas apprendre des choses ? *Mes parents me les apprennent. Eux au moins, ils ne me grondent pas parce que je suis lente.* Tu ne préférerais pas aller en classe comme tes frères ? *Pas si on se moque de moi.*

Les questions les plus périlleuses portaient sur ce que Muna avait fait le jour de la disparition d'Abiola. Était-elle restée à la maison quand Mme Songoli était partie voir son amie ? Qu'avait-elle fait pour s'occuper ? Muna répondit la vérité. *J'ai fait du ménage et du rangement pour Mamma.* Comment se fait-il que tu n'aies pas remarqué qu'Abiola ne rentrait pas à l'heure habituelle ? *Je ne sais pas lire l'heure.* Tu n'as pas été inquiète en voyant Olubayo rentrer seul ? *Je ne savais pas qu'il était seul.* Comment est-ce possible ? *Je ne l'ai pas vu. J'étais dans la chambre de Mamma, j'essayais ses colliers en or.*

La conversation parut interminable à Muna, mais quand elle s'acheva, l'interprète se tourna vers l'inspectrice Jordan et lui dit qu'à son avis, Muna ne mentait pas.

— Elle est trop limitée pour inventer des histoires. Elle a déjà des difficultés simplement pour parler. Je suppose que c'est la partie gauche de son cerveau qui a été endommagée. Elle n'emploie que des mots très simples et sa bouche a du mal à les prononcer.

— Tout de même… Elle est tellement apathique, si peu expressive. J'ai l'intuition qu'il y a quelque chose qui cloche. Et puis, elle est bien petite pour ses quatorze ans… et sa peau est nettement plus claire que celle de ses parents. Elle ne sourit pas… ne fronce pas les sourcils… elle réagit à peine à quoi que ce soit, en fait.

— À mon avis, elle ne sort probablement pas beaucoup. Il faudra poser la question à sa mère. Il n'est pas impossible que la fonction motrice des muscles de son visage ait été atteinte.

— Ses yeux bougent normalement. Pourquoi refuse-t-elle de me regarder ?

— Elle n'a pas beaucoup de contacts extérieurs. Elle a peur des gens qu'elle ne connaît pas. – L'interprète observa la tête baissée de Muna. – Elle vient d'une autre culture, vous savez. Peut-être avez-vous du mal à interpréter son comportement.

— Tout de même, le premier soir, j'ai eu l'impression qu'elle avait peur de sa mère. Je suis sûre qu'elle en sait plus long qu'elle ne le dit.

— Vous croyez vraiment que M. et Mme Songoli sont pour quelque chose dans la disparition de leur fils ?

— Je ne sais pas. Il faudrait déjà arriver à établir si Abiola a vraiment quitté la maison ce matin-là. Plusieurs témoins se rappellent avoir aperçu Olubayo dans la rue, mais personne n'a le souvenir d'avoir vu son frère.

— Et la femme qui a parlé d'un garçon noir qu'on faisait monter dans une voiture ?

— Le signalement qu'elle a donné ne correspond pas à celui d'Abiola.

— On sait que les Blancs ont du mal à décrire les Noirs. En général, vous n'êtes même pas capables de distinguer les différentes nuances de brun.

Un sourire se glissa dans la voix de l'inspectrice.

— Peut-être, mais il est tout de même difficile de confondre un garçon élancé avec un gamin de dix ans souffrant d'un tel surpoids qu'il était obligé de marcher les jambes écartées. D'après ce qu'on nous a dit à l'école, il pesait plus de soixante-cinq kilos. On a du mal à imaginer que quelqu'un ait pu le soulever de terre… et moins encore un pédophile prédateur à la recherche d'une cible facile.

— Un poids mort est encore plus encombrant. S'il n'est pas sorti vivant de cette maison, qui l'a porté jusqu'à la voiture ? Il aurait fallu que les deux parents s'y mettent, vous ne croyez pas ?

— Si. Et aussi pour le sortir de la voiture ensuite, là où ils auraient pu vouloir dissimuler le corps, reconnut la Blanche. Si un des deux parents est dans le coup, l'autre l'est certainement aussi.

Sans la présence de l'inspectrice Jordan et de l'interprète de haoussa, Muna aurait été terrifiée au retour de M. et Mme Songoli. Ebuka était dans un état de fureur épouvantable et s'en serait violemment pris à elle s'il n'avait pas été obligé de la traiter comme sa fille. Il accusa la police de racisme parce qu'on leur avait infligé, à sa femme et lui, l'indignité d'un interrogatoire et fulmina contre Scotland Yard qui avait confié l'enquête à une femme.

Comment une personne aussi insignifiante pouvait-elle avoir l'audace de suggérer que Yetunde ou lui-même n'étaient pas étrangers à la disparition d'Abiola ? La place d'une femme était à la cuisine, pas dans la police, et encore moins à un poste de responsabilité.

L'interprète le remit à sa place en haoussa. Dans ce pays, les remarques sexistes étaient considérées comme un délit, l'avertit-elle sévèrement, et le comportement de M. Songoli trahissait son ignorance. Il était le père d'Abiola et aurait été interrogé exactement de la même manière quelle qu'ait été la couleur de sa peau, car les statistiques prouvaient malheureusement – mais incontestablement – que les enfants étaient plus en danger dans leur propre foyer que dans la rue.

Ebuka l'ignora.

— Abiola était aimé et chéri par sa famille, hurla-t-il à l'inspectrice. Mon seul tort a été de décommander le taxi qui le conduisait habituellement à l'école. Mon fils a été enlevé parce qu'il était à pied. Êtes-vous vraiment trop bête pour comprendre ça ?

— Nous ne savons même pas s'il est arrivé jusqu'au bout de la rue, monsieur Songoli. Nous n'avons que la parole d'Olubayo. Malgré de nombreux appels à témoins, personne n'est venu signaler qu'il avait aperçu Abiola.

— Et c'est pour ça que vous nous accusez ? Pourquoi ? Vous avez fouillé notre maison de fond en comble, vous avez fait venir des chiens dans notre jardin... et vous n'avez rien trouvé. En avez-vous fait autant chez tous les autres habitants de la rue ?

L'inspectrice Jordan hocha la tête.

— Tous vos voisins ont autorisé mon équipe à entrer chez eux.

— Et vous avez trouvé Abiola ?

— Non.

Ebuka planta son index sur le sternum de l'inspectrice.

— Vous voyez bien, déclara-t-il. Mon enfant a été enlevé par un inconnu sur le chemin de l'école.

Muna vit l'inspectrice reculer d'un pas.

— À notre avis, il est plus vraisemblable qu'Abiola ne soit pas parti d'ici, monsieur Songoli. Ses professeurs le présentent comme un élève bien peu motivé et estiment tous qu'il aurait certainement préféré passer une journée chez lui plutôt qu'à l'école, surtout s'il savait que sa mère ne serait pas là.

Ebuka lui jeta un regard furieux avant de se tourner vers Yetunde, brandissant le poing.

Est-ce qu'elle dit la vérité ? lui demanda-t-il en haoussa. *Tu as prétendu être restée à la maison une heure après le départ des garçons. Est-ce que tu as menti ? Tu l'as vu revenir ?*

Yetunde tressaillit.

Bien sûr que non, mon mari. Comment pourrais-je taire une information aussi importante ?

L'inspectrice Jordan attrapa Ebuka par le poignet et l'obligea à baisser le bras.

— Vous avez bien mauvais caractère, monsieur. Je vous conseille de vous maîtriser si vous ne voulez pas donner encore plus de motifs d'inquiétude à votre femme. – Elle se tourna vers l'interprète. – Qu'a-t-il dit ? Pourquoi la menaçait-il ?

La traduction fut précise et l'inspectrice hocha la tête.

— Voilà ce que nous savons, monsieur Songoli. Votre fils s'est caché, nous ne savons pas exactement quand, dans le pavillon du jardin. Peut-être mercredi soir, ou sinon jeudi matin. Nous avons trouvé par terre des papiers de bonbons et des paquets de chips vides qui portent ses empreintes digitales. Le jardinier qui travaille chez vous jure qu'ils n'y étaient pas mercredi après-midi… et nous n'avons aucune raison de douter de sa parole puisque, si j'ai bien compris, Mme Songoli est très maniaque en ce qui concerne les déchets.

— On ne peut pas faire confiance à cet homme, gémit Yetunde. Je suis obligée de le surveiller constamment pour m'assurer qu'il fait bien ce qu'on lui dit. Comment être sûre que ce n'est pas lui qui a enlevé mon fils ?

— Grâce à vous et au couple âgé chez qui il travaille le jeudi. Vous prétendez qu'Abiola est parti d'ici à huit heures et quart jeudi dernier – le jour où il a été porté disparu – et ce couple affirme que le jardinier était chez eux, à près de *vingt* kilomètres d'ici, de sept heures et demie à seize heures.

Le silence s'appesantit jusqu'à ce qu'Ebuka se laisse tomber sur une chaise en poussant un grognement, prenant sa tête entre ses mains comme s'il souffrait le martyre.

— C'est pour ça que j'ai été interrogé aussi impitoyablement aujourd'hui ? Pour ça qu'on a confisqué ma voiture ? Vous vous imaginez qu'Abiola était ici quand je suis rentré du bureau ? Que je me suis mis en colère en apprenant qu'il n'était pas allé en classe ?

— Vous avez attendu bien longtemps pour nous prévenir, monsieur Songoli. Votre femme dit vous avoir téléphoné à votre bureau à dix-huit heures, dès qu'elle est rentrée et a découvert l'absence d'Abiola... or vous ne nous avez appelés qu'à vingt heures vingt-trois. Cela fait presque deux heures et demie de délai. Comment les justifiez-vous ?

Muna écouta Ebuka expliquer laborieusement qu'il avait été retardé par des embouteillages et avait pris le temps de fouiller la maison : à quoi bon faire venir la police si Abiola était caché sous un lit ? Il ne dit pas qu'il avait dû sortir de la cave le matelas et les affaires de Muna et attendre que Yetunde ait ouvert des malles contenant de vieux vêtements à elle pour trouver un kaba plus ou moins à sa taille. La robe jaune qu'elle avait dénichée était tout de même trop grande, et elle avait été furieuse de devoir sacrifier un de ses foulards pour le nouer en ceinture autour de la taille de Muna. Tout cela avait pris du temps.

L'inspectrice Jordan garda le silence jusqu'à ce qu'Ebuka s'arrête, à bout de souffle.

— Êtes-vous en train de nous dire que vous saviez avant de nous appeler qu'Olubayo n'avait pas accompagné Abiola jusqu'à l'école ? demanda-t-elle.

— Je ne comprends pas, répondit Ebuka, visiblement déconcerté.

— Pourquoi prendre la peine de regarder sous les lits si vous croyiez à la version d'Olubayo ? La première chose que vous nous avez dite était qu'un inconnu avait dû enlever votre fils – une accusation que vous avez continué à proférer toute la semaine. Or maintenant, vous prétendez me faire croire que vous avez passé plus de deux heures à chercher Abiola à votre domicile ? Pourquoi, monsieur Songoli ?

Ebuka resta muet.

— Vous feriez mieux de nous dire la vérité, monsieur.

Ebuka se tourna vers sa femme, en quête de soutien, et Yetunde tendit un doigt tremblant vers Muna.

— Elle peut vous dire si Abiola était là quand Ebuka est rentré.

— Elle dit que non.

— Alors pourquoi ne pas croire mon mari ?

L'inspectrice jeta un coup d'œil vers la tête baissée de Muna.

— La parole de votre fille ne me suffit pas, madame Songoli. Il nous faut des faits avérés, pas les déclarations confuses d'une enfant qui souffre de difficultés d'apprentissage. Pour le moment, nous ne savons même pas si Abiola était vivant le jeudi matin. La dernière fois qu'une personne étrangère à sa famille l'a vu, c'est l'après-midi précédent, c'est-à-dire le *mercredi*, à quinze heures trente… environ vingt-neuf heures avant que votre mari ne signale sa disparition.

4.

Qu'Ebuka était bête de se mettre encore en colère, pensa Muna. Peut-être croyait-il pouvoir se le permettre parce que l'interprète de haoussa était partie, mais depuis le temps, il aurait dû comprendre que la Blanche était plus intelligente que lui. Pendant qu'il hurlait, furieux, qu'il ne supporterait pas qu'on mette sa parole en doute, l'inspectrice Jordan sortit des feuilles d'une mallette posée sur la table et les lui tendit. Il s'agissait, lui expliqua-t-elle, de copies des dépositions que sa femme et lui avaient signées après avoir été interrogés au commissariat.

— Les passages surlignés signalent les divergences entre vos deux versions. Vous n'avez même pas été capables de vous entendre sur le déroulement de la soirée du mercredi, monsieur Songoli. Vous avez parlé de prières suivies d'un repas en famille à la table de la salle à manger et avez prétendu que les enfants étaient allés se coucher à huit heures. À en croire Mme Songoli, en revanche,

Olubayo et Abiola ont dîné devant la télévision avant de monter dans leurs chambres lorsque vous êtes rentré. Qui devons-nous croire ?

— Mon mari a confondu le mercredi et le mardi, intervint Yetunde. Ce que je vous ai dit est exact.

L'inspectrice Jordan sortit une autre feuille de sa mallette.

— Mon équipe étudie les enregistrements de vidéosurveillance de toutes les caméras installées dans les rues de votre quartier, près de l'école de vos fils et du bureau de M. Songoli. Nous avons une image d'Abiola traversant High Street mercredi après-midi à quinze heures treize. Une de vos voisines affirme l'avoir vu franchir votre grille peu après. Il devait être quinze heure trente, selon elle, ce qui coïncide avec l'horodatage de la caméra.

— C'est bien ce que j'ai dit à la personne qui m'a interrogée, non ? se rebiffa Yetunde. Vous avez cru que je mentais ?

— Je cherche simplement à vous faire comprendre qu'il nous est très facile de confirmer ou d'infirmer ce qu'on nous raconte, madame Songoli. Vous avez déclaré que vos fils étaient montés dans leurs chambres au retour de leur père… ce qui n'est pas vrai. Les caméras ont enregistré le passage de la voiture de M. Songoli aux feux de signalisation, deux rues plus bas, à dix-huit heures trente-sept ce mercredi soir. Or nous savons que l'ordinateur d'Olubayo a été connecté à Internet sans interruption entre dix-sept heures et peu avant minuit. Je peux même vous indiquer quels sites votre fils a consultés.

Olubayo était assis à côté de Muna sur le canapé et elle le sentit se crisper de crainte. Tant mieux si la police savait qu'en plus d'être un menteur, il n'était qu'un cochon. Muna avait vu ce qu'il regardait quand Yetunde lui avait fait monter son dîner dans sa chambre – des femmes blanches toutes nues dans des positions bizarres – et bien qu'elle n'ait pas levé les yeux vers Olubayo en posant le plateau sur le lit, elle avait entendu les grognements bestiaux qu'il poussait en se tripotant. Elle s'était inquiétée une fois de plus à l'idée que, bientôt, il risquait de vouloir déverser sa saleté en elle, comme son père.

— L'ordinateur d'Abiola, en revanche, est resté éteint toute la journée, poursuivit la Blanche, alors qu'en général il l'allumait vers quatre heures. Les disques durs des deux garçons montrent qu'ils faisaient le plus souvent entre une demi-heure et une heure de devoirs tous les soirs, mais ce mercredi-là, ils ont tous les deux dérogé à cette habitude. Avez-vous une explication à me donner ? Ou peut-être Olubayo pourrait-il s'en charger ?

Ebuka s'adressa à son fils en haoussa :

Ne dis rien, mon garçon. Je vais parler pour nous tous.

— Ne pourriez-vous pas tenir compte de l'affliction dans laquelle nous plonge la disparition de notre fils ? demanda-t-il ensuite à l'inspectrice. Si mon épouse et moi-même sommes un peu confus à propos des événements de cette soirée, c'est parce que nous n'avons pas dormi depuis qu'on nous a pris Abiola. Comment voulez-vous que nous nous souvenions de détails qui remontent à une semaine, alors que le chagrin nous dévore le cœur et l'esprit ?

— La plupart des parents qui sont dans votre cas s'en souviennent, monsieur Songoli. Ils passent désespérément en revue tout ce qui a pu être dit ou fait au cours des heures qui ont précédé la disparition de leur enfant. Même s'ils savent qu'ils n'y sont pour rien, ils se sentent coupables de ce qui est arrivé.

— J'ai déjà reconnu que je n'aurais pas dû décommander le taxi.

L'inspectrice hocha la tête avant de lui tendre deux autres photos.

— Voici votre voiture au carrefour de Crendell Avenue à dix-huit heures trente-sept le mercredi soir, et voici – elle brandit le second cliché – le même véhicule qui passe en sens inverse quatre heures et demie plus tard. L'horodatage indique vingt-trois heures dix-sept. Vous êtes, me semble-t-il, le seul conducteur de cette maison, monsieur. Pourriez-vous me dire où vous alliez à une heure aussi tardive, la veille de la disparition d'Abiola ?

Coulant un regard sous ses paupières baissées, Muna lut de la peur sur les traits d'Ebuka et du désarroi sur ceux de Yetunde. Ils ne répondirent ni l'un ni l'autre.

— Mme Songoli nous a dit être allée se coucher de bonne heure et s'être endormie vers vingt-deux heures trente. Vous avez confirmé ses propos – c'est même l'un des rares détails concordants de vos dépositions –, mais vous avez prétendu l'avoir suivie peu après et avoir été au lit à vingt-trois heures. Ce qui n'est pas exact, n'est-ce pas, monsieur ? Où êtes-vous allé ? S'il le faut, nous passerons au crible les enregistrements vidéo de toutes les caméras à dix kilomètres à la ronde.

Ce fut Yetunde qui prit la parole :

Tu n'es pas obligé de répondre, chuchota-t-elle en haoussa. *Cette Blanche t'a tendu un piège, mais tu as parfaitement le droit de refuser de parler. Appelle ton employeur et demande-lui de te trouver un avocat.*

Ebuka hocha la tête, plus pâle que Muna ne l'avait jamais vu. Il quitta la pièce pour passer plusieurs coups de fil et, une heure plus tard, un homme sonna à la porte. Il se présenta sous le nom de Jeremy Broadstone et n'hésita pas à accuser l'inspectrice de bafouer les droits de ses clients. Il lui donna l'ordre de quitter la pièce avec ses collaborateurs, et Muna constata, terrifiée, qu'il avait le pouvoir de les faire obéir lorsqu'elle entendit les pneus crisser sur le gravier, dehors. Redoutant que tous les policiers ne soient définitivement partis, elle éprouva une aversion immédiate pour Jeremy Broadstone.

Il était blanc, mince, il avait le nez busqué et elle jugea qu'on ne pouvait pas se fier à lui. Il s'assit sans y avoir été invité et tapota sa montre.

— Nous n'avons pas beaucoup de temps. Je suis venu parce que votre employeur, John Ndiko, me l'a demandé, mais je ne pourrai vous être d'aucun secours si vous n'êtes pas parfaitement honnête avec moi, monsieur Songoli. Pourquoi la police pense-t-elle que vous êtes pour quelque chose dans la disparition de votre fils ? Comment en est-elle venue à vous soupçonner ?

Ebuka se tourna vers sa femme.

— Cela ne les regarde pas, dit-il avec un signe de tête en direction de Muna et d'Olubayo. Fais-les monter dans leurs chambres pendant que je discute avec M. Broadstone.

Mais Yetunde refusa.

Non, répondit-elle en haoussa. *Si tu es retourné chez les putes, je veux le savoir. Ne crois pas pouvoir me cacher quoi que ce soit.*

Veux-tu m'humilier en présence de ce Blanc ?

C'est toi qui te couvres de honte par ton comportement, rétorqua-t-elle brutalement. *Ne me reproche pas l'image que cet homme se fait de toi.* – Elle se tourna vers Muna. – *Et puis toi, lève les yeux, et souris comme une bonne fille. Vous allez monter dans vos chambres, Olubayo et toi. S'il y a des policiers dans l'entrée, Olubayo leur dira que l'avocat veut nous parler en particulier. Manifeste ta tendresse filiale en nous embrassant tous les deux avant de monter.*

Muna observa comment Olubayo posait les lèvres sur la joue de Yetunde avant de se risquer à en faire autant. C'était un geste qui dépassait sa compréhension, et qu'elle n'avait jamais fait de sa vie. La sensation était déplaisante – l'odeur de la peau de Yetunde l'écœurait – mais embrasser Ebuka était encore pire. Peut-être se rappelait-il toutes les fois où il avait plaqué la main sur la bouche de Muna dans les ténèbres de la cave, car il n'osa pas la regarder pendant qu'elle inclinait son visage vers le sien. Le contact et l'odeur de sa barbe rêche étaient toujours aussi répugnants.

Elle éprouva un vague soulagement en refermant la porte du salon derrière elle, car elle était persuadée que l'honnêteté des Songoli n'irait pas jusqu'à leur faire admettre qu'elle n'était pas leur fille. Son soulagement s'accrut quand elle entendit parler dans la cuisine. Les mots étaient inaudibles mais, à la clarté des timbres, elle comprit que l'une des voix était celle de l'inspectrice Jordan et l'autre celle de l'agent de liaison. Elle leva les yeux vers Olubayo, qui l'observait depuis le pied de l'escalier.

Elles ne resteront pas éternellement, lui lança-t-il triomphalement. *Et dès qu'elles seront parties, tu retourneras à ta place.* – Il tapota le battant de la porte de la cave. – *Une niche de merde pour une chienne de merde.*

Muna lui jeta un regard méfiant.

Ça me dégoûte d'être obligé de dire que je suis ton frère. Tu es trop conne pour être une Songoli. Tu ne comprends rien à rien.

Le Diable chuchota alors à l'oreille de Muna, l'excitant à la révolte. Elle fit un pas en avant.

— Je m'appelle Muna, dit-elle en anglais. M. et Mme Songoli m'ont volée quand j'avais huit ans. J'aimerais rentrer chez moi. – Elle vit avec satisfaction les yeux d'Olubayo s'écarquiller. Elle avait conscience d'avoir parfaitement articulé ces mots. Elle en essaya d'autres qu'elle s'était exercée à prononcer : M. Songoli a frappé Abiola avec une badine. Il est tombé par terre et ne s'est pas relevé. Je ne l'ai pas revu depuis.

Ébranlé, Olubayo ne la quittait pas des yeux et Muna éprouva un frémissement de joie en constatant combien il était facile de lui faire peur. Elle poursuivit en haoussa. :

Si je dis ces paroles aux policiers, ils emmèneront le Maître… et je serai bien contente, comme je suis bien contente qu'Abiola ne soit plus là. C'était un méchant garçon et ma vie est bien plus agréable sans lui.

Elle regarda avec mépris les larmes jaillir des yeux d'Olubayo et ruisseler sur ses joues. Tous les jours, il avait donné des coups de pied dans les jambes de son petit frère dodu et lui avait dit qu'il le détestait, et tous les soirs il piquait une colère quand Ebuka l'envoyait faire ses devoirs. Quelques pas de plus la conduisirent devant la porte de la cave. La curiosité la poussa à l'ouvrir et à actionner l'interrupteur. Elle songea à nouveau que cet endroit avait l'air parfaitement inoffensif à la douce lueur de l'ampoule électrique. On aurait dit un débarras ordinaire. Des cartons, des malles et des valises s'entassaient contre les murs et une table, couverte de dossiers provenant du bureau d'Ebuka, était disposée à l'endroit où s'était trouvé son matelas.

Elle se demanda ce qu'Ebuka en avait fait. Lorsque les policiers avaient fouillé la maison pour la deuxième fois, Muna avait remarqué avec quel soin ils inspectaient tout. Ils l'auraient forcément trouvé s'il avait encore été dans la maison. Ebuka avait sans doute pris sa voiture pour s'en débarrasser pendant que Yetunde lui faisait enfiler une robe dans la chambre d'amis, et cette idée l'emplit d'une délicieuse chaleur. L'inspectrice aurait bientôt une autre photo à montrer à Ebuka.

Elle éteignit et tendit l'oreille dans l'obscurité. Mais si celle-ci lui chuchotait quelque chose, elle fut incapable de l'entendre à cause du bourdonnement de voix qui provenaient de la cuisine.

Le Maître ne me renverra jamais à la cave, dit-elle à Olubayo en refermant la porte. *Il a trop peur que la*

Blanche apprenne les vilaines choses qu'il a faites. Je lis la crainte dans ses yeux chaque fois qu'il me regarde.

Elle se retourna, le visage impassible comme à l'accoutumée, et suivit des yeux le garçon qui reculait devant elle, gravissant l'escalier. Elle savoura son pouvoir en voyant sa main trembler sur la rampe.

Un peu plus tard, Yetunde entra dans la chambre de Muna et la supplia d'aider Ebuka.

Tu dois convaincre la Blanche qu'Abiola était en vie jeudi matin, dit-elle. *M. Broadstone pense qu'elle te croira plus facilement que M. Songoli ou moi.*

Comment voulez-vous que je fasse, Princesse ?

Décris les vêtements qu'il portait et ce qu'il a fait… Dis qu'il est venu dans ma chambre réclamer des dragées… qu'il a pleuré parce qu'il devait aller à pied à l'école.

Mais je ne l'ai pas vu, Princesse. Je n'ai pas le droit de regarder un membre de votre famille sans votre permission. J'ai attendu à la cuisine de pouvoir monter sans risque pour enlever les draps du lit d'Abiola. C'est ce que je fais tous les jours.

Tu n'as qu'à faire comme si *tu l'avais vu,* rétorqua Yetunde sèchement. *Tu sais bien qu'il était là. Tout le monde l'a entendu piquer sa crise.*

Je dois dire ça, Princesse ?

Les doigts boudinés de Yetunde se refermèrent sur le poignet de Muna.

Bien sûr que non, petite sotte ! La Blanche n'attend qu'une occasion pour prétendre que le Maître s'est mis en colère contre Abiola. Tu dois la convaincre que tu as dit au revoir à ton frère quand il a quitté la maison.

J'ai déjà essayé, Princesse. Elle m'a posé la question pendant que vous étiez partis, le Maître et vous, mais elle pense que je suis trop handicapée pour pouvoir distinguer le vrai du faux.

Yetunde fonça les sourcils de contrariété.

Comment peux-tu savoir ce que pense la Blanche ?

La dame qui parle haoussa m'a dit que ce n'était pas grave si je ne me souvenais pas de tout, Princesse. La Blanche lui a demandé de me dire que ce n'était pas ma faute si je ne savais pas quel était le jour où le jardinier vient et où Abiola a disparu.

Les bagues de Yetunde s'enfoncèrent dans sa chair.

Il n'y a pas de « et ». Le jardinier vient le mercredi. Abiola a disparu le jeudi.

Je ne savais pas, Princesse. Je n'ai jamais vu le jardinier. Vous ne m'autorisez pas à m'approcher des fenêtres quand il travaille dehors. Vous m'avez dit que vous ne vouliez pas qu'il sache que je suis là.

Cherchant à garder son calme, Yetunde prit plusieurs profondes inspirations.

As-tu dit à la Blanche que ces événements se sont passés le mercredi ?

Non, Princesse. J'ai dit que je ne savais pas quel jour c'était.

Yetunde la repoussa brutalement.

Tu n'as fait que tout embrouiller, siffla-t-elle, furieuse. *Pas étonnant que la Blanche soupçonne le Maître. Il aurait dû appeler un avocat plus tôt. Selon maître Broadstone, elle n'aurait jamais dû t'interroger sans qu'un adulte soit présent.*

Je n'aurais pas répondu à ses questions si la dame qui parlait haoussa n'avait pas dit que je devais le faire, Princesse. Certaines questions étaient très bizarres.

Ah oui ? Lesquelles par exemple ?

Elle voulait savoir si le Maître et vous étiez gentils avec moi, Princesse. Si vous m'aimiez. Si je vous aimais. J'ai répondu oui et je n'ai pas parlé de la cave ni de la badine parce que je ne voulais pas que vous me reprochiez d'être une ingrate.

Yetunde s'approcha de la fenêtre avec impatience.

Est-ce qu'on t'a demandé pourquoi le Maître avait mis si longtemps à prévenir la police jeudi soir ?

Oui, Princesse.

Qu'as-tu répondu ?

Rien, Princesse. Je suis restée assise en silence, les yeux fixés sur mes mains. La dame qui parle haoussa m'a dit que je n'avais rien à craindre si je disais la vérité... mais je n'étais pas sûre que vous auriez été contente que je le fasse. Ils auraient pu s'étonner que vous ayez jugé plus important de me trouver une robe que de chercher Abiola.

Elle observa toutes les expressions qui défilaient sur le visage bouffi et laid de Yetunde. Ses émotions étaient si visibles et Muna vivait avec elle depuis si longtemps qu'elle n'avait aucun mal à deviner les idées qui se bousculaient dans sa tête. Yetunde était poussée à douter de l'honnêteté de Muna, mais n'y parvenait pas. Son mépris pour l'intelligence de la petite était trop profond pour qu'elle la croie capable d'inventer quoi que ce soit. Elle était loin de deviner que Muna comprenait l'anglais et que ce qu'elle avait appris en écoutant ce que disait la Blanche lui permettait de travestir la vérité.

Yetunde serra les poings contre ses hanches, exhalant son exaspération dans un soupir de ressentiment.

On nous accuse de choses que nous n'avons pas faites, reprit-elle, *simplement parce que les caméras de vidéosurveillance n'ont pas enregistré d'images d'Abiola le jour où il a disparu. Selon l'avocat, il faut absolument pouvoir prouver qu'il était vivant. Il m'a dit de te demander quelles chips et quels bonbons tu avais rangés dans sa boîte à déjeuner ce matin-là.*

Muna tortilla des épaules, comme si elle était embarrassée.

Je n'en ai pas mis, Princesse. Abiola avait volé tous ceux qui restaient quand il est rentré de l'école le jour précédent. Il les avait emportés dehors pour les manger dans la petite maison du jardin.

Yetunde lui jeta un regard noir.

Pourquoi ne me l'as-tu pas dit ?

Vous m'auriez battue, Princesse. Vous étiez fâchée quand Abiola volait de la nourriture.

Les bracelets de Yetunde cliquetèrent sous l'effet de la contrariété.

Tu ne dois surtout pas dire ça à la Blanche ! Raconte que tu as mis les chips dans sa boîte à déjeuner jeudi matin. Mieux encore, dis-lui que tu m'as vue les y mettre. De quelle couleur étaient les paquets ? Combien y en avait-il ? La police connaît la réponse, alors essaie de bien te souvenir.

Il y en avait trois rouges, Princesse. Abiola m'a donné des coups de pied parce qu'il n'aime que les verts et les bleus.

Pourquoi y avait-il aussi peu de réserves ? J'en avais acheté suffisamment pour tenir un mois.

Abiola volait des chips tous les après-midi, Princesse. Si je cherchais à l'en empêcher, il me tapait. Ce n'était pas un gentil garçon. Je crois que la Blanche sait que le Maître et vous, vous ne l'aimiez pas non plus. Elle m'a demandé deux fois pourquoi vous ne pleuriez pas plus.

Le regard de Yetunde se durcit encore.

Elle ne voit donc pas notre douleur ?

Il faut croire que non, Princesse. La dame qui parle haoussa a dit que le Maître essaye tout le temps de rejeter sur d'autres la responsabilité de la disparition d'Abiola... et que ceux qui font ça cherchent à cacher leur propre culpabilité. Elle voulait absolument savoir s'il était ressorti en voiture entre l'heure où il était rentré et le moment où il a appelé la police. Comme je ne savais pas ce qu'il fallait répondre, je n'ai rien dit.

Maudite fille ! Tu aurais dû répondre qu'il n'était pas ressorti.

Muna releva la tête.

Mais la Blanche aurait su que je mentais, Princesse. Mon matelas n'est plus dans la cave et il n'y a que le Maître qui ait pu l'emporter. La police a sûrement des images de sa voiture quand il est ressorti. Elle lui demandera certainement s'il n'a pas aussi emmené Abiola.

5.

Le lendemain, l'inspectrice Jordan annonça aux Songoli le départ de son équipe. Ebuka et Yetunde accueillirent la nouvelle avec soulagement, contrairement à Muna qui avait naïvement espéré que les policiers resteraient éternellement. Son sentiment de puissance avait été très éphémère. Olubayo avait eu raison et elle tort, et le désespoir l'accabla quand elle songea qu'elle allait devoir redescendre à la cave.

C'était la faute de maître Broadstone. Il avait refusé que l'inspectrice reste en contact avec ses clients tant qu'elle ne pourrait pas prouver leur implication, et il surveillait les Songoli de près pour l'empêcher de leur parler. À cause de lui, l'inspectrice n'avait jamais su qu'Ebuka aimait fréquenter des prostituées et elle continuait à le soupçonner d'être responsable de la disparition de son fils. L'agent de liaison fut la seule à dire au revoir à Muna, lui adressant un petit signe de la main en franchissant la porte. Muna eut l'impression que son unique issue de secours se refermait quand le battant claqua derrière elle.

Maître Broadstone tapota sa montre – il avait un autre rendez-vous ailleurs – avant de conseiller à mi-voix aux Songoli de prendre garde à ce qu'ils faisaient et disaient. La police était partie, certes, mais l'enquête n'était pas close pour autant. Les moyens d'enregistrer les conversations ne manquaient pas, et l'inspectrice avait eu largement le temps de demander les autorisations nécessaires pour mettre leur maison sur écoute.

Ebuka s'offusqua, sans élever la voix, cependant. Ils ne risquaient pas de tenir de propos compromettants, marmonna-t-il, accusant l'avocat de ne pas les croire, sa femme et lui, lorsqu'ils affirmaient ignorer ce qui était arrivé à leur fils.

Maître Broadstone resta de marbre.

— Je n'ai pas à vous croire ou à ne pas vous croire, répondit-il sèchement. Je suis vos instructions, un point c'est tout. Vous m'avez demandé de vous débarrasser des policiers, c'est fait. Cela ne changera rien. Votre voiture, vos ordinateurs et vos téléphones portables n'en seront pas moins passés au peigne fin, et si la police découvre quoi que ce soit d'embarrassant pour vous, vous serez mis en examen et on vous demandera des explications.

— Ils ne trouveront rien d'embarrassant.

— J'espère que vous avez raison. Ils vont inspecter votre véhicule avec encore plus de soin s'ils savent déjà que vous êtes ressorti jeudi soir, entre votre retour du bureau et le moment où vous les avez prévenus. Ils ne croiront jamais que vous parcouriez les rues à la recherche d'Abiola s'ils relèvent des traces de son ADN dans votre coffre.

— La plupart des pères auraient agi ainsi, protesta nerveusement Ebuka. Vous l'avez dit vous-même.

Maître Broadstone baissa encore la voix.

— En effet, mais ils n'omettent pas de le signaler à la police. Il ne vous reste qu'à prier pour que, cette fois, les caméras de vidéosurveillance n'aient pas filmé votre voiture. Vous aurez du mal à convaincre l'inspectrice Jordan qu'une explication aussi raisonnable à un retard de deux heures ait pu vous sortir de la tête, à vous *et* à votre femme.

Après son départ, les Songoli se disputèrent en haoussa, tout bas, chacun reprochant leurs problèmes à l'autre. Yetunde affirmait qu'Ebuka aurait dû savoir qu'il y avait des caméras de vidéosurveillance. Ebuka rétorquait que Yetunde n'aurait jamais dû amener Muna sous leur toit. Sans elle, ils auraient pu avertir la police sans perdre de temps.

Aucun ne dit tout haut que Muna avait déchaîné ses démons contre eux, mais à leurs regards haineux elle comprit qu'ils en étaient persuadés. Le chaos qui s'était abattu sur leur vie ne pouvait avoir d'autre cause. Chasser le Diable du corps de la petite à coups de badine était le divertissement favori de Yetunde, et Muna en était venue à accueillir cette punition avec satisfaction. Si le Diable était aussi difficile à expulser, cela voulait forcément dire qu'Il était réel.

Parfois, la nuit, dans l'obscurité de la cave, elle L'entendait chuchoter à son oreille. Ses paroles étaient toujours encourageantes. Muna était Son élue. Sa toute belle. Sa rusée. Si elle attendait son heure, Il lui prouverait combien Il était puissant. Combien de fois avait-elle souhaité qu'Il fasse tomber Ebuka raide mort quand la porte en haut de l'escalier s'ouvrait, combien de fois L'avait-elle supplié d'arracher la badine de la main de Yetunde ! Elle comprenait à présent qu'Il préférait leur infliger une souffrance plus durable.

Ebuka était devenu l'ombre de lui-même au cours de ces dernières journées et Yetunde avait perdu beaucoup de sa superbe. Ils devaient avoir de la peine pour Abiola – de temps en temps, Muna croyait déceler de la douleur sur leurs visages –, mais c'était la crainte de la police qui les rongeait le plus. Peut-être aussi la crainte qu'ils s'inspiraient mutuellement.

Leur hostilité était virulente, surtout dès qu'il s'agissait de Muna. Qui sème le vent récolte la tempête, rappelait Ebuka à sa femme. Si Yetunde n'avait pas volé aussi impudemment l'enfant d'une autre, elle n'aurait pas perdu son fils. Il l'avait mise en garde à l'époque, il l'avait prévenue qu'il n'en sortirait rien de bon. Yetunde l'accusait alors d'hypocrisie. Se figurait-il vraiment qu'elle ne savait pas ce qui se passait sous son toit ? Qui croirait Ebuka innocent de ce qui avait pu arriver à Abiola si la fille révélait un jour les cochonneries qu'il l'avait obligée à faire quand elle n'avait que huit ans ?

Muna demeurait aussi immobile que possible, espérant se rendre invisible. Elle avait du mal à entendre tout ce qu'ils disaient tant ils parlaient bas, mais elle redoutait les coups qui ne manqueraient pas de pleuvoir sur elle, qui était la cause de tant de haine. Les paroles de Yetunde donnaient à entendre qu'elle savait qu'Ebuka venait la voir à la cave, et Muna tremblait à l'idée de ce que le Maître allait lui faire. Combien de fois ne l'avait-il pas avertie qu'elle apprendrait ce qu'était la vraie souffrance si jamais la Princesse était informée de ce qui se passait ?

Muna ne douta pas que c'était le Diable qui, sautant dans le corps d'Olubayo, en prit possession. Soudain, le garçon tomba au sol, balançant son corps d'un côté à l'autre comme si des démons le piquaient avec des aiguilles chauffées à blanc. Yetunde poussa un hurlement d'effroi, ordonnant à son mari de faire quelque chose, et Ebuka se mit laborieusement sur ses pieds tandis que les yeux de leur fils se révulsaient et que de l'écume moussait sur ses lèvres.

Personne ne vit Muna s'éclipser discrètement. Elle se réfugia à la cuisine, tapie dans les ombres de son coin préféré, cherchant à trouver le courage de s'enfuir. Elle ne devait compter sur aucune pitié si Yetunde se persuadait que c'était à cause de Muna qu'Olubayo se tordait comme un ver. Mais elle redoutait plus encore le monde extérieur que cette maison où vivait le Diable. C'était certainement pour aider la petite Muna qu'Il avait lancé ses démons contre Olubayo.

Quelques minutes à peine s'écoulèrent avant qu'elle n'entende le hurlement d'une sirène et un crissement de roues sur le gravier. Des gens entrèrent dans la maison. Un homme exhorta M. et Mme Songoli à se calmer. Ils pourraient accompagner leur fils à l'hôpital, mais d'abord il avait quelques questions à leur poser. Olubayo avait-il déjà eu des crises ? Combien de temps avait duré celle-ci ? Les voix qui provenaient du salon étaient assourdies, puis des pas résonnèrent dans l'entrée, la porte se ferma et le silence enveloppa la maison.

Muna écouta le gémissement de plus en plus ténu de la sirène qui s'éloignait. Tous les Songoli étaient-ils partis ? se demanda-t-elle. Était-elle seule dans la maison pour la première fois depuis la disparition d'Abiola ? Elle se releva et s'approcha de la porte fermée de la cuisine, l'oreille tendue, à l'affût de bruits de pas ou de respiration. Elle laissa passer une éternité avant de baisser précautionneusement la poignée et de gagner l'entrée à pas de loup.

Elle vit Ebuka sortir du salon et n'eut pas le temps de reculer. En un pas, il fut sur elle, lui crocheta le cou et posa la main sur sa bouche sans lui laisser le temps de crier. Elle eut si peur qu'elle appela la mort de ses vœux.

Il lui siffla à l'oreille les mêmes mots que d'habitude. *Salope... Putain... Sorcière... Vicieuse...* Pour Muna, ils n'avaient pas plus de sens ce jour-là que lorsqu'elle était allongée sur son matelas imbibé de sang, écrasée par le poids d'Ebuka. Tout ce qu'elle savait, c'est qu'ils annonçaient une douleur intolérable.

Le bras d'Ebuka lui serrait le cou si étroitement qu'elle en avait le souffle coupé et que son esprit s'obscurcit. Aussi ne conservait-elle que peu de souvenirs concrets de ce qui était arrivé ensuite. Elle se rappelait la lumière qui s'était allumée au sommet de l'escalier de la cave, elle se rappelait que ses genoux s'étaient dérobés sous elle tandis qu'elle échappait à l'étreinte d'Ebuka. Le reste n'était qu'un défilé d'images plus ou moins floues. Elle vit les entrailles noires de la terre s'ouvrir devant elle, sentit qu'Ebuka était soulevé du sol par un poing gigantesque et suivit des yeux son corps qui dévalait les marches.

Et, plus distinctement que tout, elle entendit rire le Diable.

Elle rêva d'Abiola. Il se tenait à distance, les mains en coupe dans un geste d'imploration. Il appelait Muna au secours, mais elle se détournait pour regarder des enfants qui jouaient dans une cour baignée de soleil. C'était un rêve étrange. Quand elle y repensa, elle avait les yeux ouverts, les poils du tapis de l'entrée lui caressaient la joue et elle regardait Ebuka, affalé au pied de l'escalier de la cave.

Elle resta longtemps allongée à l'observer. Il n'était pas mort, ce qu'elle regretta, mais elle eut l'impression qu'il ne pouvait pas bouger. Une de ses jambes était glissée sous lui dans une curieuse position, la table s'était renversée, lui immobilisant un bras, sa tête était coincée entre deux malles de Yetunde. Elle contempla impassiblement ses yeux grands ouverts, relevant avec curiosité l'alternance de peur et de prière qui jouait sur ses traits.

Elle se leva quand il la menaça de la colère de Yetunde si elle ne l'aidait pas. Elle descendit lentement les marches et s'accroupit dans la poussière à côté de lui. De tout près, sa peur était très perceptible.

Je ne sens plus rien, chuchota-t-il. *Mes bras et mes jambes ne répondent plus.*

Muna ne broncha pas. Elle avait plus de patience qu'Ebuka et pouvait rester là à le dévisager pendant des heures s'il le fallait.

Au bout d'un moment, il se mit en colère contre elle.

Fais *quelque chose*, ordonna-t-il. Fais *quelque chose...* Fais *quelque chose.*

Quoi, Maître ? demanda-t-elle quand lui vint enfin l'envie de lui répondre.

Prends le téléphone. Compose le 999. Demande qu'on envoie une ambulance comme pour Olubayo.

Je ne sais pas faire ça, Maître, et même si je savais, personne ne me comprendrait.

Alors apporte-moi mon portable et tiens-le près de ma bouche pendant que je parlerai.

Je ne peux pas, Maître. La Blanche a pris tous les téléphones de la maison, sauf celui du salon, et il est attaché au mur par un câble.

La langue d'Ebuka passa nerveusement sur ses lèvres sèches.

Alors va jusqu'à la grille, supplia-t-il. *Il y a des hommes dehors, avec des appareils photo. Fais-en venir un jusqu'ici.*

La Princesse ne me permet pas de me montrer à des étrangers, Maître. Elle me donnera des coups de badine si je lui désobéis.

Elle te frappera encore plus fort si tu me laisses mourir. Tu n'es tout de même pas trop bête pour comprendre ça, si ?

Muna s'étonna que sa bouche et ses yeux fonctionnent encore alors que tout le reste de son corps semblait pétrifié. Elle toucha un doigt d'une des mains d'Ebuka et sentit qu'il était froid.

La Princesse ne voudra pas qu'un homme avec un appareil photo descende ici, Maître. Il voudra savoir pourquoi vous êtes tombé dans l'escalier, il montrera des photos de vous à la télévision… Les gens se demanderont pourquoi vous êtes resté ici, au lieu d'accompagner Olubayo à l'hôpital, et ce que vous vouliez faire à la cave. Je pense que la Princesse et la Blanche se poseront la même question.

Les yeux d'Ebuka s'écarquillèrent comme s'il prenait conscience pour la première fois qu'il ne connaissait pas vraiment cette fille. C'était le plus long discours qu'il eût jamais entendu de sa bouche.

Tant pis, insista-t-il. *J'ai besoin d'aide. Es-tu dénuée de sentiments humains au point de ne pas t'en rendre compte ?*

Je suis ce que la Princesse et vous avez fait de moi, Maître. Les sentiments que j'éprouve sont ceux que vous m'avez appris. S'ils ne sont pas humains, c'est votre faute.

Muna crut voir une expression d'horreur envahir ses traits.

Tu es un monstre, grinça-t-il, la gorge sèche. *Ce sont tes démons qui ont attiré ce malheur sur ma famille.*

Muna ne répondit pas. Il se fatiguait rapidement et elle attendit que son souffle soit si faible qu'elle ne voyait plus qu'à peine son buste s'élever et s'abaisser. Elle monta alors à l'étage chercher la couette sur le lit de Yetunde et alla prendre un verre d'eau à la cuisine. Avec sollicitude, elle posa la couette sur Ebuka et le verre à côté de lui, puis reprit position à son chevet.

Quand elle entendit s'ouvrir la porte d'entrée et le pas lourd de Yetunde résonner au rez-de-chaussée, elle saisit la main d'Ebuka entre les siennes et cria à pleins poumons, demandant à la Princesse de descendre à la cave.

AUTOMNE

6.

La vision du monde de Muna était simple. Les choses arrivaient parce qu'elles devaient arriver et rien de ce qu'elle faisait ou ne faisait pas ne pouvait modifier les décrets du destin. Elle fut déçue qu'Ebuka survive, mais réconfortée d'apprendre par Yetunde qu'il s'était brisé le dos. Elle était sûre que le Diable avait l'intention de le faire souffrir.

Il resta absent pendant plusieurs semaines, tandis que Yetunde balançait entre espoir et désespoir. Quand il recommença à bouger les mains et les bras, elle crut qu'il n'allait pas tarder à quitter son lit et à se remettre à marcher. Lorsque les médecins lui annoncèrent qu'il resterait en fauteuil roulant jusqu'à la fin de ses jours, elle fut accablée. Elle pleurait tout le temps en songeant aux difficultés qui les attendaient si Ebuka n'était plus en état de travailler.

Dans ces moments-là, Muna l'évitait, préférant encore s'acquitter de ses corvées ménagères qu'attendre sans rien faire que l'humeur de Yetunde passe en un éclair du désespoir à la colère. Yetunde avait besoin de s'en prendre à quelqu'un et l'impassibilité de Muna la faisait enrager. Seule une fille possédée par les démons pouvait rester aussi insensible au fait qu'Olubayo allait être obligé de quitter l'école privée qu'il fréquentait ou à la perspective redoutée qu'Ebuka soit renvoyé à la maison le jour où l'hôpital déciderait que la médecine ne pouvait plus rien pour lui.

Yetunde aurait volontiers obligé Muna à redescendre à la cave, mais la crainte que lui inspirait la police l'en empêchait. Même si elle ne croyait plus que leur maison avait été mise sur écoute, elle préférait ne rien faire qui pût éveiller les soupçons. L'inspectrice Jordan faisait de fréquentes apparitions, prétextant vouloir vérifier tel ou tel point, et elle ne prévenait jamais de son passage.

Maître Broadstone était leur visiteur le plus assidu. Au début, l'avocat venait exposer l'état de l'enquête sur la disparition d'Abiola. La police n'avait relevé aucune trace d'ADN suspect dans le coffre de la voiture d'Ebuka ; en revanche, elle y avait trouvé de la poussière et des fibres identiques aux balayures ramassées à la cave. Comme les médecins refusaient que la police interroge Ebuka, maître Broadstone avait donné les explications nécessaires au nom de son client. Quand il les rapporta à Yetunde, elle applaudit, affirmant qu'Ebuka n'aurait jamais pu plaider sa cause aussi judicieusement.

Maître Broadstone avait raconté aux policiers que le métier de M. Songoli l'obligeait à faire de fréquents déplacements. Le dernier en date – consigné dans son agenda professionnel – avait eu lieu cinq jours avant la disparition d'Abiola. Dans la mesure où M. Songoli rangeait ses bagages à la cave, il était normal de trouver sur toute valise ou tout sac déposés dans son coffre de la poussière et des fibres provenant du sol de la cave. La police scientifique aurait pu faire remarquer que cela ne suffisait pas à justifier l'abondance de ces prélèvements, mais un jury accorderait certainement le bénéfice du doute à un père affligé.

Et, de toute évidence, M. Songoli avait été profondément affligé le soir où Abiola avait disparu. Voilà pourquoi il avait oublié de signaler qu'il avait arpenté les rues désespérément à la recherche de son fils après être rentré chez lui ce fameux jeudi soir. Maître Broadstone avait présenté son client comme un homme orgueilleux, réticent à reconnaître combien il avait été ébranlé de n'avoir pas été capable de retrouver son fils. Sa femme avait toujours pu compter sur lui, alors, aveuglé par les larmes, il avait rangé sa voiture le long du trottoir et avait passé une heure à pleurer avant d'être en état de rentrer prévenir la police.

Sans aller jusqu'à prétendre que l'accident d'Ebuka était un bien pour un mal, il avait évoqué plusieurs fois devant Yetunde le revirement de l'opinion publique, désormais favorable aux Songoli. Les habitants de ce pays avaient l'âme tendre, lui expliqua-t-il, et éprouvaient une sorte de sentiment de culpabilité collective devant le sort cruel qui frappait des visiteurs. Perdre Abiola – sans qu'on ait retrouvé son corps et alors que l'enquête piétinait – était déjà tragique, mais voilà que le destin s'acharnait en faisant trébucher M. Songoli dans l'escalier de la cave. Il était indécent d'avoir demandé à un homme, accablé d'inquiétude et de chagrin, de retrouver un dossier d'assurance remisé à la cave pour prouver que son fils aîné avait bien droit à un traitement médical.

— Les Britanniques s'enorgueillissent de la gratuité de leur système de soins, déclara-t-il à Yetunde, et sont gênés quand la presse et les médias révèlent ce genre de cas. Peut-être pourrons-nous obtenir une indemnité si nous arrivons à faire valoir que votre mari a été tellement intimidé par les ambulanciers qui ont emmené Olubayo qu'il a tenu à mettre immédiatement la main sur les documents réclamés, au péril de sa propre sécurité.

Yetunde prit l'air sceptique.

— C'est la version des faits qu'il vous a donnée ?

— Il m'a dit qu'il craignait qu'Olubayo ne soit pas correctement soigné s'il ne pouvait pas prouver qu'il était assuré. Je suppose que ce sont les ambulanciers qui lui ont fait croire cela ?

Yetunde était manifestement loin de lui donner raison, mais pour elle l'honnêteté passait après l'argent.

— Si tel est le cas, obtiendrons-nous une indemnité ?

— La paraplégie est un handicap grave, madame Songoli. Votre mari devrait effectivement toucher une somme importante si nous pouvons prouver la responsabilité des services d'urgence. – Maître Broadstone se pencha vers elle. – Peut-être lui ont-ils fait croire que l'hôpital refuserait de prendre Olubayo en charge ? Peut-être l'avez-vous cru, vous aussi, et avez-vous insisté en haoussa pour qu'il trouve votre police d'assurance au plus vite et vous rejoigne ensuite à l'hôpital ?

— Nous n'avons parlé qu'anglais. Les ambulanciers le savent.

— Ce sera leur parole contre la vôtre.

Yetunde secoua la tête.

— Ils m'ont laissée monter à l'avant avec le chauffeur et je l'ai entendu parler aux gens de l'hôpital par radio. Il leur a dit qu'il leur amenait un patient de sexe masculin âgé de treize ans qui faisait probablement une crise d'épilepsie, mais il n'a pas parlé de papiers d'assurance. La personne qui a répondu à son appel appuiera leur version des faits contre la nôtre.

— Cela ne change rien à l'analyse que votre mari a faite de la situation. Le simple fait de devoir décliner vos identités et préciser votre nationalité l'aura mis sous pression. Je suis certain que vous vous rappelez qu'il avait l'air terriblement inquiet quand vous êtes partie.

Yetunde réfléchit un instant.

— Il s'est mis en colère quand on nous a expliqué qu'un seul d'entre nous pouvait accompagner Olubayo. Il s'est disputé avec le chauffeur, il a expliqué que la police avait confisqué son véhicule et qu'il ne pouvait donc pas nous suivre. L'homme lui a répondu que ce n'était pas lui qui faisait les règlements et l'a averti que menacer un membre des services d'urgence était un délit.

— M. Songoli a-t-il levé la main contre l'ambulancier ?

Yetunde acquiesça.

— C'est un homme passionné, reprit maître Broadstone, issu d'une autre culture. Exprimer son angoisse par des gestes est un comportement naturel pour lui. Aucun représentant d'un service public n'aurait dû l'accuser de commettre un délit à cause de cela… d'autant qu'il était évidemment bouleversé par la crise d'Olubayo.

Le visage de Yetunde s'éclaira.

— Nous versera-t-on de l'argent si je dis cela ?

— Cela devrait aider, oui.

Après cela toutes les visites de maître Broadstone ne concernèrent plus que la question de l'indemnisation. C'était un Blanc, pourtant tous ses propos étaient hostiles aux Blancs, ce qui éveillait la méfiance de Muna. Détestait-il les membres de sa propre tribu au point de vouloir aider la Princesse à les voler ? Peu à peu, il amena Yetunde à envisager de porter plainte contre la police.

L'enquête concernant la disparition d'Abiola était toujours en cours, mais ne progressait pas. Maître Broadstone laissa entendre que c'était la faute de l'inspectrice Jordan, qui avait ignoré d'autres pistes pour concentrer toute son attention et celle de son équipe sur M. Songoli. Elle aurait dû au minimum demander à ses collaborateurs d'interroger les pédophiles connus du voisinage et de vérifier les enregistrements de vidéosurveillance de leurs véhicules aussi consciencieusement que ceux de la voiture d'Ebuka.

Muna apprit presque tout cela grâce aux conversations entre Yetunde et Olubayo, le soir. Le garçon n'était pas plus finaud que son petit frère, et Yetunde était obligée de lui répéter les détails plusieurs fois.

Elle prenait un malin plaisir à mettre tous leurs problèmes sur le dos d'Ebuka – ils ne seraient pas obligés de compter le moindre sou s'il avait fait un peu attention, au lieu de tomber bêtement dans l'escalier de la cave – et Olubayo éprouva bientôt un profond mépris pour son père infirme.

Les comprimés qu'il prenait contre l'épilepsie lui donnaient des maux de tête qui le rendaient irascible. Il poussa les hauts cris quand Yetunde le retira de son collège privé, dont les frais étaient trop élevés. Il rumina ses griefs dans sa chambre pendant les vacances d'été, mais les exprima physiquement quand il entra dans son nouvel établissement à l'automne. Tous les après-midi, il rentrait à la maison fou de rage parce que son père faisait de lui la risée de tous ses camarades.

Il se plaignait à Yetunde de n'avoir pas d'amis et d'être harcelé par les autres élèves. Ils le traitaient de « triso » à cause de son épilepsie, disaient que son père était un « éclopé » parce qu'il était en fauteuil roulant et son frère un « allumeur de pédés ». Les professeurs eux-mêmes n'étaient pas gentils avec lui ; ils lui reprochaient son agressivité au lieu de mettre à la porte les garçons et les filles qui l'insultaient.

Le stress et l'émotion ne faisaient qu'aggraver ses crises. Quand il ne se tordait pas par terre, il était à l'hôpital pour que les médecins ajustent son traitement. Yetunde n'avait aucune patience avec lui, affirmant vivre un enfer. Un mari infirme et un fils épileptique n'avaient jamais figuré parmi ses rêves de bonheur.

Muna restait le témoin muet de toutes ces scènes. L'immobilité et le silence lui avaient rendu d'immenses services au fil des ans. Attirer l'attention, c'était appeler la souffrance. Cela ne l'empêchait pas de remarquer l'exaspération et la fureur de la Princesse et d'Olubayo et de s'attendre à ce qu'un jour ou l'autre leur rage se retourne contre elle.

Olubayo fut le premier à la menacer. Un après-midi, il surgit sur le seuil de la cuisine, badine à la main.

Mon père ne pourra plus jamais la manier, lui dit-il en la faisant claquer contre sa paume. *Maintenant, c'est moi, l'homme de la maison. Tu feras ce que je te dis, autrement, tu seras punie.*

Muna était en train de rincer une grosse marmite sous le robinet.

Il sera très fâché quand il reviendra et qu'il apprendra que tu as voulu prendre sa place, répondit-elle.

Je n'ai pas peur de lui. Il n'a plus aucune force. Son esprit est aussi faible que son corps. Tout ce qu'il sait faire, c'est pleurer de honte chaque fois que les infirmières changent ses poches d'urine et d'excréments.

Muna tenait la casserole devant elle tout en l'essuyant avec un torchon.

Il n'y a pas que la badine pour punir un fils. S'il le veut, le Maître peut ordonner à la Princesse de t'enfermer dans la cave, pour que les démons te mettent en pièces comme ils l'ont fait avec lui.

Tu mens.

Je les ai entendus rire quand il est tombé. Ils ont ri si fort qu'on les entendait jusqu'à l'étage. C'est un endroit maudit. Ton père n'aurait jamais dû y aller.

Alors je vais t'y pousser, et c'est toi qu'ils mettront en pièces.

Ils ne me feront aucun mal. Je les entendais chuchoter dans les murs quand je vivais en bas, dans le noir, et ils disaient que c'était ta famille qu'ils voulaient détruire, pas moi. Penses-tu qu'Abiola aurait disparu et que ton père serait infirme si les démons ne leur en voulaient pas ?

Le visage d'Olubayo se crispa d'inquiétude.

Les Blancs disent que les démons n'existent pas.

La Princesse y croit, et le Maître aussi, répondit Muna. *Quand j'ai enfin eu le courage de descendre pour voir ce qui s'était passé, ses yeux – énormes et tout ronds de terreur – me l'ont dit. Il savait que les démons lui faisaient payer tout le mal que la Princesse et lui m'ont fait. Et ils s'en prendront aussi à toi, affreux garçon, si tu songes seulement à me faire du mal... Sois sûr que la prochaine fois, ils ne se contenteront pas de te faire te tordre par terre et de faire mousser de la bave à tes lèvres.*

Elle fit vibrer sa langue contre son palais pour produire un sifflement de serpent et éprouva un délicieux sentiment de victoire en voyant Olubayo s'enfuir, traverser le couloir et monter l'escalier jusqu'à sa chambre. Il allait sûrement faire ce qu'il faisait tous les soirs : s'asseoir devant son écran, se tripoter et pousser des grognements de cochon. C'était ça qui le rendait idiot.

Une nouvelle semaine s'écoula avant que Yetunde ne brandisse à son tour la badine contre Muna. Elle avait accepté de la laisser tranquille tant qu'elle faisait son travail. En raison des visites de maître Broadstone et de l'apparition occasionnelle et inopinée de l'inspectrice Jordan et de l'agent de liaison, elle préférait continuer à traiter Muna comme sa fille et lui permettre de porter des imprimés fleuris au lieu du noir auquel elle avait été condamnée jusque-là.

Au tout début de l'enquête, elle avait commandé plusieurs robes à la taille de Muna de crainte que la police ne s'étonne de la voir porter des kabas trop grands pour elle. Il fallait bien utiliser ces nouvelles tenues. Ou peut-être préférait-elle, après tout, avoir une servante présentable, car elle autorisa désormais Muna à ouvrir la porte quand quelqu'un sonnait et à apporter des plateaux de thé et de dragées au salon.

En présence de visiteurs, elle remerciait toujours Muna aimablement, lui disant qu'elle était une bonne fille, une gentille fille, mais Muna était sûre que ces compliments lui écorchaient les lèvres. Il lui arrivait de surprendre un éclair d'hostilité dans les yeux de Yetunde, comme si elle comparait l'amélioration de la situation de Muna à la dégradation de la sienne.

Sa colère explosa un matin où Muna n'avait pas sucré les sablés exactement à son goût. Un torrent d'insultes longtemps réprimé se déversa de sa bouche. Les accusations se mirent à pleuvoir sur Muna – elle avait assassiné Abiola, cherché à tuer Ebuka et provoqué les crises d'Olubayo. Puis elle l'attrapa par le bras et la traîna jusqu'à la cuisine.

Cette fois, tu ne te relèveras pas, lui lança-t-elle en la jetant au sol et en s'emparant de la badine.

Muna se retourna sur le dos et hurla de toute la force de ses poumons.

Si vous faites ça, la Blanche sera certaine que vous avez fait la même chose à Abiola, Princesse. C'est le jour où le jardinier vient. Il m'entendra crier et répétera à la police tout ce que je dirai.

Cela suffit à arrêter le bras de Yetunde.

Voilà ce que je crierai, Princesse : « Non, Mamma, non. Je n'ai rien fait de mal. Je t'en supplie, ne me tue pas comme tu as tué mon frère. Tu ne peux pas battre impunément deux enfants à mort. »

Les yeux de Yetunde étincelèrent.

Qu'est-ce que c'est que ces mensonges ? Qui t'a appris à les dire en anglais ?

C'est la Blanche qui m'a appris ça, Princesse. Elle a dit à la dame qui parle haoussa qu'elle croit que c'est vous qui avez pris la vie d'Abiola. Si vous prenez la mienne, elle en sera absolument sûre.

7.

L'automne était déjà bien avancé quand Ebuka sortit enfin de l'hôpital. Les fleurs fanaient et les arbres qui bordaient la rue avaient perdu leur couleur dorée pour prendre une teinte brun-roux. Depuis que le jardinier ne venait plus, la pelouse n'était plus entretenue et le gazon poussait dans tous les sens, tandis que les mauvaises herbes envahissaient les plates-bandes, le long de l'allée de gravier.

Yetunde l'avait renvoyé, prétendant ne plus pouvoir le payer, le jour où Muna avait attiré l'attention sur lui. Muna l'avait vu partir avec regret. En vérité, elle n'était pas certaine qu'il l'aurait entendue si elle avait crié depuis l'intérieur de la maison, ni, le cas échéant, qu'il serait intervenu – il avait l'air affreusement intimidé quand il parlait à Yetunde –, mais sa présence lui avait évité une correction.

Elle imagina d'autres moyens pour se prémunir contre la colère de Yetunde. Des ruses qui lui venaient à l'esprit la nuit, dans des rêves si concrets qu'elle savait que le Diable ne l'avait pas abandonnée. Elle dissimulait des armes dans toutes les pièces – des couteaux subtilisés à la cuisine, un marteau et un ciseau dérobés dans la caisse à outils d'Ebuka, les battes de cricket et de base-ball d'Abiola, un butoir de porte pesant – et retenait soigneusement où elle les avait cachées.

Elle s'exerçait à se servir du téléphone chaque fois que Yetunde sortait, en observant attentivement le clavier et en tenant le combiné contre son oreille pour écouter le bourdonnement qui en sortait. *Compose le 999*, avait dit Ebuka. Muna savait que 9 était un chiffre, parce qu'elle avait vu Abiola compter sur ses doigts, et elle devinait qu'il devait s'agir d'une des touches du clavier, mais elle ne savait pas laquelle, ni combien de fois il fallait appuyer dessus.

Elle les essaya toutes, pressant une fois, puis deux, puis trois. La plupart de ses tentatives furent infructueuses – elle n'entendait que le silence ou une voix répétant inlassablement « Il n'y a pas d'abonné au numéro que vous demandez » –, mais quand elle appuya à trois reprises sur une des touches de droite, on lui répondit immédiatement.

Un frisson lui parcourut l'échine quand une voix de femme lui demanda quel service d'urgence elle demandait. Pendant quelques secondes, Muna resta pétrifiée puis elle reposa le combiné et mémorisa la touche sur laquelle elle avait appuyé. Elle avait été surprise de la rapidité avec laquelle la femme avait répondu, de la clarté de sa voix et de la facilité avec laquelle elle avait compris ses paroles. Elle se prit à espérer que si elle parvenait à s'emparer du téléphone avant Yetunde, quelqu'un se porterait à son secours.

Mais elle ne tarda pas à comprendre qu'un tel appel ne servirait à rien si elle était incapable de dire à la dame où elle était. Aussi loin que portait son regard depuis les fenêtres de l'étage, elle ne voyait que des maisons. Comment un étranger saurait-il que c'était dans celle-ci qu'elle se trouvait ? Elle imaginait déjà Yetunde riant et lui arrachant le téléphone des mains si tout ce qu'elle pouvait dire était : « S'il vous plaît, aidez-moi. Je m'appelle Muna. »

Si seulement elle avait su lire, elle aurait pu regarder les enveloppes qui tombaient de temps en temps par la fente de la porte. Mais cette science la dépassait. Elle ne pouvait faire qu'une chose : attendre et écouter. Tôt ou tard, Yetunde ferait livrer une commande à domicile, et Muna se rappellerait les mots qu'elle prononcerait. Elle n'en avait pas éprouvé la nécessité jusqu'à présent. À quoi bon apprendre le nom d'une rue alors qu'elle ne savait même pas dans quelle ville elle était ?

L'occasion se présenta le jour où Yetunde demanda à un taxi d'aller chercher Ebuka au centre de rééducation. Il fallait un véhicule adapté à un fauteuil roulant et non, elle n'avait pas l'intention de l'accompagner. Si M. Songoli avait besoin d'aide, il faudrait que le chauffeur s'en charge. Elle indiqua une adresse que Muna écouta attentivement et apprit par cœur. Les mots n'avaient aucun sens pour elle, mais elle s'exerça à les prononcer encore et encore dans sa tête. Vingt Trois Fortis Row Ène Dix.

Cela faisait des jours que Yetunde évoquait avec mauvaise humeur le retour imminent d'Ebuka. Sur les conseils de Jeremy Broadstone, elle avait ordonné à son mari de prétendre qu'il n'avait récupéré qu'une sensibilité partielle des mains et était incapable de s'habiller ou de s'alimenter seul ; en effet, plus son handicap serait lourd, plus l'indemnisation serait élevée. Le stratagème avait été efficace puisque le médecin qui s'occupait d'Ebuka l'avait fait transférer dans un centre spécialisé à cinquante kilomètres de là, où il avait été soigné aux frais du contribuable. Selon maître Broadstone, cela prouvait que les services de santé reconnaissaient leur responsabilité dans l'état du patient.

Yetunde était aux anges. L'employeur d'Ebuka avait accepté de continuer à lui verser son salaire pendant six mois, jusqu'à ce que son taux d'incapacité ait été définitivement évalué, les procédures engagées par maître Broadstone suivaient leur cours et elle pouvait s'adonner en toute tranquillité à sa paresse naturelle. Ebuka lui-même ne pouvait exiger d'elle qu'elle fasse cent kilomètres aller-retour pour venir lui rendre visite alors qu'elle n'avait pas le permis de conduire. Cela l'arrangeait bien, confia-t-elle à l'avocat, car son mari avait perdu tout charme à ses yeux.

Elle ne supportait pas les hommes aux jambes atrophiées qui passaient leur temps à pleurnicher sur leur sort. Qu'y pouvait-elle s'il était tombé dans l'escalier de la cave ? Rien, évidemment ! Alors de quel droit pouvait-il lui demander de payer les pots cassés en apprenant à changer ses poches de cathéter, à le masser pour faire circuler le sang et éviter les escarres sur son dos et sur ses fesses ? Elle frissonnait chaque fois qu'elle évoquait l'incontinence d'Ebuka. Comment pouvait-on prétendre imposer de telles corvées à une femme de sa classe ?

Muna avait l'impression que Yetunde trouvait Jeremy Broadstone infiniment plus séduisant qu'Ebuka. Elle se pomponnait devant la glace quand elle attendait sa visite et trouvait d'innocents prétextes pour l'effleurer quand elle l'invitait à s'asseoir ou lui tendait une tasse de thé. Les intentions de maître Broadstone était plus difficiles à déchiffrer, mais Muna croyait lire du dégoût dans ses yeux chaque fois que la bouche de Yetunde s'ouvrait au milieu de son visage déjà bouffi pour enfourner une autre dragée ou un nouveau petit gâteau à la crème.

L'inaction l'avait encore fait grossir. Elle prétendait souffrir de boulimie de compensation depuis la disparition d'Abiola, mais maître Broadstone lui laissa entendre qu'il serait peut-être judicieux de manifester son chagrin de façon plus ostensible. Elle devait apprendre à poser les mains sur son cœur chaque fois que quelqu'un prononçait le nom de son fils, à verser des larmes sur commande et à chuchoter d'une voix chevrotante quand elle évoquait le jour de sa disparition. Telles étaient les réactions que les juges et les jurés attendaient d'une mère, et elle devait gagner leur sympathie si elle voulait que son procès contre les services d'urgence aboutisse.

Muna n'avait pas compris pourquoi maître Broadstone se préoccupait tant de faire gagner de l'argent à Yetunde jusqu'au jour où Olubayo avait demandé à sa mère combien l'avocat empocherait à l'issue de la procédure. Bien trop, lui répondit Yetunde. Elle réprouvait ce système qui obligeait les victimes, déjà durement atteintes, à n'obtenir compensation qu'en s'assurant les services onéreux d'hommes de loi. Maître Broadstone n'avait pas vraiment besoin de cet argent – il était déjà riche –, pourtant il toucherait une coquette somme s'il gagnait son procès.

Muna avait su alors que Jeremy Broadstone était un homme fourbe et superficiel. Il ne s'intéressait à Yetunde que parce qu'il espérait gagner de l'argent. Autrement dit, tous ses sourires étaient hypocrites et sa sympathie feinte. Muna s'en réjouissait. Malgré toute la poudre que la Princesse pouvait s'étaler sur le visage, tout le parfum qu'elle se vaporisait dans le cou et tout le temps qu'elle consacrait à sa coiffure, le Blanc maigrichon ne l'appréciait pas assez pour lui manifester une compassion gratuite.

Lorsque l'heure du retour d'Ebuka approcha, l'exaspération de Yetunde ne connut plus de bornes. Olubayo étant au collège, elle s'épanchait auprès de Muna. Ce n'était pas juste. Elle n'avait jamais voulu épouser Ebuka Songoli. Ses parents avaient arrangé ce mariage sans même lui demander si elle pensait pouvoir l'aimer. Elle l'avait supporté pendant toutes ces années parce qu'il partait travailler tous les jours et gagnait bien sa vie, mais elle ne supporterait jamais de passer vingt-quatre heures sur vingt-quatre avec lui.

Elle avait déjà eu assez de mal à partager son lit et à accepter qu'il la tripote chaque fois que l'envie l'en prenait, alors devoir faire la toilette de ses parties intimes et affronter la puanteur de ses excréments et de son urine… Cette simple idée la révulsait. Si elle avait pu, elle aurait refusé de le reprendre à la maison et l'aurait laissé où il était. Cet atroce pays était responsable des maux qui l'accablaient. Que les Anglais s'occupent de lui au lieu de prétendre que c'était à sa femme de le faire.

Muna attendit que la tirade perde de sa véhémence.

Je peux m'occuper du Maître, Princesse, proposa-t-elle calmement. *Ce ne sera pas pire que de nettoyer Abiola. Les odeurs me dérangent moins que vous.*

Loin de lui en être reconnaissante, Yetunde la dévisagea avec méfiance.

Tu cherches à donner une mauvaise image de moi, c'est ça ?

Non, Princesse. Je ne veux que vous être utile. Mais peut-être que le Maître n'acceptera pas que je le soigne. Il ne voudra peut-être pas qu'une fille touche ses endroits secrets.

Ne fais pas comme si ça devait être la première fois, aboya Yetunde. *De toute façon, il n'a pas voix au chapitre. Il sera bien obligé d'accepter l'organisation que je mettrai en place. Il est grand temps qu'il comprenne que sa stupidité nous a mis sur la paille.*

Yetunde se livra évidemment à des débordements d'affection quand Ebuka arriva. Se penchant par la grande portière coulissante du taxi, elle se précipita pour lui planter des baisers mouillés sur les joues, mais ne fit pas un geste pour l'aider à descendre de voiture ou à s'installer dans son fauteuil roulant quand le chauffeur l'eut extrait du véhicule par l'autre portière. L'homme, qui avait les cheveux blancs et n'était plus tout jeune, jeta à Yetunde un regard appuyé et ironique avant de lui demander de bien vouloir se pousser pour qu'il aide Ebuka à passer de la banquette à son fauteuil roulant. Constatant qu'elle n'avait pas non plus la moindre intention d'aider son mari à franchir le seuil de la maison, il s'en chargea, faisant un petit signe de tête à Muna, debout sur le côté, dans l'ombre de l'entrée.

Il donna une légère tape sur l'épaule d'Ebuka.

— Je vous laisse avec votre fille, monsieur. J'espère que tout se passera bien pour vous. C'est toujours plus facile quand on est chez soi.

Une larme brilla au bord de la paupière d'Ebuka pendant qu'il remerciait le chauffeur pour sa gentillesse. Il avait l'air bien mal en point, songea Muna. Si petit, tout recroquevillé dans son fauteuil roulant, la barbe et les cheveux grisonnants et la peau légèrement plus pâle de n'avoir pas vu le soleil pendant si longtemps. Elle se tourna vers Yetunde, qui discutait avec le chauffeur du prix de la course, puis s'avança pour pousser Ebuka dans la salle à manger.

La Princesse a dit que maintenant vous deviez dormir ici, Maître. Elle nous a demandé à Olubayo et moi de descendre le lit d'Abiola, parce que si vous le salissez, ça ne fait rien. J'ai mis l'alèze caoutchoutée qu'il utilisait toujours.

Tu te moques de moi ?

Non, Maître, je n'ai pas encore appris à faire ça. Dois-je vous laisser ici ou voulez-vous aller ailleurs ?

Dis à la Princesse de venir. Il faut qu'elle m'aide.

Muna se retourna vers lui.

Elle ne le fera pas, Maître. Votre odeur la dérange. Elle aurait préféré que vous restiez à l'hôpital.

Une infirmière doit passer ?

Non, Maître. La Princesse est trop pauvre pour payer des gens pour vous aider. Vous devrez vous débrouiller tout seul ou accepter que je le fasse.

Il eut l'air plus terrifié en cet instant qu'au fond de la cave, quand il avait constaté qu'il ne pouvait plus bouger. Muna se pencha pour le regarder droit dans les yeux.

Il va falloir apprendre à être courageux et intelligent, Maître. Autrement vous ne survivrez pas car vous êtes à la merci de gens qui vous méprisent. L'humeur de la Princesse est très changeante. Si vous vous montrez trop exigeant ou si vous l'irritez par vos jérémiades, elle ouvrira la porte de la cave et vous poussera en bas.

Peut-être Ebuka pensa-t-il qu'elle parlait pour elle-même, parce qu'il agrippa les roues du fauteuil et le fit reculer.

Ne t'approche pas, fit-il d'une voix tremblante. *Il n'y a que toi qui sois capable de faire une chose pareille.*

Je ne le ferai pas, Maître, mais je ne peux rien promettre pour la Princesse ou Olubayo. Vous avez attiré le malheur sur eux par votre propre malheur, et ils vous en veulent.

Pas toi ?

Non, Maître. Chaque fois que votre vie devient plus difficile, la mienne devient plus facile. Je vous adresse plus de remerciements que de reproches. Dois-je demander à la Princesse de venir ou préférez-vous me montrer comment je peux vous aider ? Vous verrez que j'apprends plus vite et que je suis plus patiente. La Princesse est trop paresseuse pour bien faire.

8.

Muna se demandait si tout le monde était comme les Songoli. Ses contacts avec des étrangers étaient si limités qu'il lui était difficile d'en juger. Elle tirait de la télévision toutes les informations possibles, mais les séries, les films américains et les talk-shows qui composaient l'ordinaire de Yetunde débordaient autant de colère et d'agressivité que la femme qui les regardait.

Il arrivait à Muna de voir à l'écran des scènes d'amour, où des hommes et des femmes arrachaient leurs vêtements et poussaient des grognements comme Ebuka et Olubayo, ou dans lesquelles des mères câlinaient leurs enfants et leurs disaient des mots tendres, mais elle ne ressentait aucune émotion. C'étaient toujours les mêmes gestes et les mêmes paroles, comme si l'affection ne pouvait s'exprimer que sur deux modes.

Au fil du temps, elle remarqua pourtant que le regard d'Ebuka s'adoucissait chaque fois qu'elle entrait dans sa chambre. Ce changement attisait sa curiosité parce qu'il semblait révéler un sentiment qu'il ne lui avait jamais manifesté jusqu'alors. Elle aurait pu craindre que ce soit du désir, si Yetunde ne s'était pas amusée à donner des pichenettes au sexe flasque de son mari en lui disant que le temps des putes blanches était fini.

La nudité d'Ebuka dégoûtait Yetunde alors que Muna y était indifférente. Le Maître avait perdu le pouvoir de lui faire du mal, et les muscles atrophiés de ses jambes lui donnaient un aspect rabougri et malingre. Il lui arrivait de regretter de ne pas avoir pu voir son sexe du temps où il se jetait sur elle dans l'obscurité de la cave. Elle aurait eu moins peur si elle avait su ce qu'il enfonçait dans son trou et dans sa bouche. C'était un petit bout de chair minable, et elle avait de bonnes dents. Elle n'aurait pas eu de mal à l'arracher et à le recracher en même temps que sa saleté.

Les premiers jours, Ebuka fermait les yeux et refusait de parler quand elle entrait dans sa chambre. Ça ne dérangeait pas Muna. Elle avait été silencieuse si longtemps que parler lui était pénible. Elle préférait vivre dans sa tête et ne pas avoir à obliger ses lèvres raides et réticentes à articuler des mots.

Elle nourrissait toujours des idées de vengeance à l'égard d'Ebuka. Certains jours, elle était d'humeur meurtrière. Elle mourait d'envie de s'emparer de sa poche d'excréments, de lui enfoncer le visage dedans et de l'étouffer dans ses propres déjections. C'eût été un juste retour des choses, qui aurait racheté le liquide visqueux qu'il avait répandu dans sa bouche. Mais le Diable lui chuchotait à l'oreille, lui conseillant la prudence et la patience. La mort d'Ebuka et la fin des visites de maître Broadstone ne pourraient qu'aggraver la situation de Muna. Seules la présence de l'avocat et la perspective de remporter un pactole bridaient la colère de Yetunde.

Ebuka finit par lui adresser la parole, n'ayant pas la patience de se taire éternellement. Peut-être était-il intrigué par l'attention que Muna prêtait à son confort, parce qu'il lui demanda si elle était heureuse qu'il ait survécu. Quand elle lui répondit que oui, il émit un rire rauque et lui rappela les propos qu'elle lui avait tenus dans la cave. Qu'est-ce qui avait changé ? Le détestait-elle moins maintenant qu'il était infirme ? Elle l'assura que ses sentiments demeuraient inchangés. Si elle était heureuse, c'était de constater qu'il était prisonnier, comme elle, un plaisir que sa mort lui aurait refusé.

Les yeux d'Ebuka s'humectèrent immédiatement.

Alors tu me détestes toujours autant ? Pourtant, tu es plus gentille avec moi que ma propre femme ! Pourquoi ?

La Princesse nous fera souffrir tous les deux si j'agis autrement, Maître. Elle a besoin que vous restiez en vie, parce qu'elle veut l'argent que maître Broadstone lui promet d'obtenir pour elle.

Tu ne t'occupes donc de moi que par peur d'être battue ?

Vous le savez bien, Maître.

Les larmes ruisselèrent sur ses joues.

J'ai eu beaucoup de temps pour réfléchir au jour de mon accident, Muna. Je me suis mal conduit avec toi. Si tu savais combien je regrette aujourd'hui la manière dont je t'ai traitée ! Peux-tu me pardonner tout ce que je t'ai fait autrefois ?

Si vous voulez, Maître.

Muna constata avec surprise que ce dialogue semblait avoir apporté un certain réconfort à Ebuka, comme si des mots possédaient le pouvoir de l'apaiser. Il pleurait moins souvent, faisait ses exercices de rééducation plus consciencieusement et la remerciait abondamment de ses efforts. Une ou deux fois, il la supplia de lui sourire, et par curiosité, simplement pour voir sa réaction, elle essaya. Le moindre frémissement de ses lèvres faisait littéralement rayonner Ebuka. Comme c'était bizarre, songeait-elle. Pensait-il que la courbure de sa bouche était plus sincère que le pardon qu'elle prétendait lui avoir accordé ?

Muna n'ignorait pas que s'il éprouvait des regrets, c'était uniquement pour lui-même. Si rien n'était venu modifier le cours de la vie de sa famille, il aurait continué à venir l'agresser dans les ténèbres de la cave. Mais il ne lui déplaisait pas de le gratifier de petits sourires, car voir son visage s'éclairer quand elle pénétrait dans sa chambre lui inspirait un sentiment de pouvoir constamment renouvelé.

Elle devint habile à presser sur sa vessie pour la vider, à changer ses sondes et ses poches et à lui éviter les escarres. Elle l'aidait à faire quotidiennement des mouvements de gymnastique de la partie supérieure du corps pour renforcer la musculature de ses bras, de ses mains et de son cou, elle soulevait et lui faisait plier les jambes pour faciliter la circulation. Une fois par semaine, une infirmière venait pour suivre ses progrès ; c'était toujours Yetunde qui l'accueillait, et chaque fois l'infirmière félicitait Ebuka et lui faisait remarquer qu'il avait bien de la chance d'avoir une épouse aussi dévouée.

Muna assistait avec joie aux querelles que ces propos déclenchaient dès le départ de l'infirmière. Les Songoli se disputaient violemment, Ebuka accusant Yetunde de recevoir sans broncher des compliments qui ne lui revenaient pas, et Yetunde accusant Ebuka de leur faire perdre toutes leurs chances d'indemnisation. Il devait exagérer son invalidité, tempêtait-elle. S'il était incapable de leur faire toucher une grosse somme, il ne leur servait plus à rien, à Olubayo et elle.

Ce qui provoquait de nouvelles chamailleries à propos des goûts dispendieux de Yetunde. Ebuka avait été furieux de constater avec quelle rapidité son épargne avait fondu pendant son hospitalisation. Peu lui importait que Yetunde ait été très malheureuse de la disparition d'Abiola. Il lui reprochait d'être aussi cupide que stupide : seule une idiote pouvait céder ainsi à ses caprices en se fondant sur les promesses d'un avocat. N'avait-elle aucun bon sens ? Aucune retenue ? Son plaisir à elle devait-il toujours passer en premier ?

Il ne sortait jamais vainqueur de ces affrontements. Yetunde quittait la chambre, ironisant sur son infirmité et le condamnant à continuer à hurler des insultes devant une porte close. Et chaque fois, il s'attachait plus profondément encore à Muna, attribuant à tort le calme avec lequel elle reprenait ses exercices de rééducation à de la gentillesse et non au seul désir d'éviter la Princesse. La fureur de Yetunde s'exacerbait chaque fois que l'infirmière disait qu'Ebuka avait fait des progrès.

Muna ne comprenait pas pourquoi. Elle avait entendu de ses propres oreilles Jeremy Broadstone expliquer à Yetunde qu'il était essentiel de suivre le régime prescrit par les médecins. Ceux-ci éprouveraient des soupçons s'ils ne constataient pas une amélioration lente mais régulière de l'état mental et physique de leur patient, tandis que lui-même ferait valoir devant les tribunaux que Mme Songoli avait mis sa propre vie entre parenthèses pour assurer à son mari des soins à temps complet. Elle devait prouver son dévouement, faire savoir combien d'heures par jour elle sacrifiait à son mari, expliquer qu'il lui était impossible de chercher un emploi alors que les besoins de l'infirme monopolisaient tout son temps.

— C'est M. Songoli qui sera indemnisé, pas vous, lui avait-il rappelé. Si vous voulez pouvoir disposer de cet argent, il faut qu'il soit content, et les médecins aussi.

Yetunde avait fait la grimace.

— Quel dommage qu'il ne se soit pas rompu le cou ! Une paralysie totale nous aurait permis d'obtenir une plus grosse somme.

— Et vous auriez été obligée de la dépenser pour payer un bataillon d'infirmières professionnelles vingt-quatre heures sur vingt-quatre. La tétraplégie est une terrible infirmité. Telle qu'elle est, la situation devrait vous permettre de gagner sur les deux tableaux : une indemnité qui, correctement investie, représentera une source de revenus sûre, et un mari qui, avec le temps, apprendra à faire face à son handicap et acquerra un minimum d'indépendance.

— Dans le cas contraire, je le mettrai en établissement. Je ne peux pas être éternellement à sa botte.

Muna se rappela cette conversation quelques semaines plus tard, lorsque Yetunde s'attarda plusieurs minutes sur le seuil de la salle à manger à la regarder soulever et plier les jambes d'Ebuka. Le dégoût que ce spectacle lui inspirait était si palpable que Muna le sentait flotter dans l'espace qui les séparait. Sous ses cils, elle scrutait le visage violacé de Yetunde dont les lèvres annoncèrent d'un ton coléreux qu'elle sortait.

Muna attendit d'avoir entendu la porte d'entrée se refermer.

Pourquoi la Princesse est-elle fâchée contre nous, Maître ? demanda-t-elle, faisant doucement pivoter la cheville gauche d'Ebuka. *Ne souhaite-t-elle pas que vous vous remettiez ?*

Elle est jalouse.

Qu'est-ce que ça veut dire, Maître ?

Elle sait que je préfère que ce soit toi qui m'aides, plutôt qu'elle. Du coup, elle se sent de trop.

C'est grave, Maître ?

Oui, si on se croit important.

Et la Princesse est importante, Maître ?

Moins qu'elle ne le voudrait.

Muna passa de l'autre côté du lit pour s'occuper de sa cheville droite.

Elle voudrait bien que maître Broadstone la croie importante, Maître. Elle passe des heures à se peindre la figure avant qu'il n'arrive.

Ce qu'elle veut, c'est l'indemnisation qu'il peut obtenir à notre profit. Autrement, nous n'aurons plus d'argent pour vivre.

La Princesse veut l'argent pour elle, Maître. Elle a signé des papiers pour maître Broadstone pendant que vous étiez à l'hôpital. Il lui a dit que grâce à eux, elle serait riche.

Il voulait parler de toute notre famille.

Je ne crois pas, Maître.

Ebuka la regarda faire pénétrer une lotion dans la peau insensible de son mollet gauche.

Es-tu aussi jalouse qu'elle ? demanda-t-il. *Cherches-tu à me monter contre elle ?*

Je vous conseille seulement de faire preuve de sagesse, Maître.

Quel genre de sagesse ?

Celle qui vous dit que la Princesse est cupide, Maître. Elle a plus envie de votre argent que de vous… et une fois qu'elle l'aura, elle ne fera plus venir l'infirmière.

Pourquoi ?

Pour que vous viviez moins longtemps. Si plus personne ne vous voit, elle pourra être aussi cruelle avec vous qu'elle le voudra.

Le front d'Ebuka se plissa d'incertitude.

Elle n'osera pas me faire de mal. Mes médecins lui poseront des questions.

Elle l'a bien osé avec moi, Maître. Chacun de ses coups aurait pu me tuer, et personne ne l'aurait su. Je n'existais pas avant que la police ne vienne ici le jour de la disparition d'Abiola.

HIVER

9.

Lorsque les jours raccourcirent et que la neige fondue commença à crépiter sur les carreaux, Muna aurait redouté de regagner sa chambre si elle n'avait pas découvert que la clé de la porte d'Abiola fermait aussi la sienne. À plusieurs reprises, elle était restée tapie dans l'angle de la pièce, à écouter le frôlement de pieds nus sur la moquette du couloir, à regarder le bouton de la porte tourner et à entendre le souffle de Yetunde contre le battant.

Muna trouvait que la jalousie était un sentiment étrange et compliqué. Yetunde avait beau détester Ebuka et refuser de s'occuper de lui, elle ne supportait pas de voir Muna faire ce travail à sa place. Ebuka détestait Yetunde et n'était vraiment heureux qu'en son absence, pourtant il adressait à Muna ses sourires les plus tendres quand sa femme était là.

Tout cela était bien mystérieux pour Muna qui n'éprouvait de sentiments ni pour l'un ni pour l'autre. Leur hostilité réciproque lui rappelait les disputes opposant Olubayo et son petit frère quand

Abiola volait les vêtements de son aîné, et elle se demandait si la jalousie était plus liée à la possession qu'à l'amour. Peut-être Yetunde estimait-elle qu'Ebuka lui appartenait ? C'était une drôle d'idée, dans la mesure où la seule personne dont Yetunde eût jamais réclamé la possession était Muna. *Tu es à moi et je peux te faire ce que je veux*, disait-elle chaque fois qu'elle brandissait la badine.

Quand Ebuka décida de quitter enfin sa chambre, la rage de Yetunde franchit une nouvelle étape. Lorsqu'il était invisible, elle parvenait à l'oublier, mais elle devenait folle quand elle le voyait arracher des sourires au visage austère de Muna ou l'entendait lui dire qu'elle était jolie. Elle était particulièrement furieuse les soirs où Ebuka s'installait à la cuisine, regardait Muna préparer le dîner et la complimentait sur son habileté. Elle ferait une bonne épouse, disait-il souvent à portée d'oreille de Yetunde.

Olubayo ne faisait rien pour atténuer les tensions entre ses parents. Alors qu'il avait refusé d'entrer dans la chambre d'Ebuka pendant des semaines, il préférait à présent rejoindre son père à la cuisine plutôt que de s'asseoir avec Yetunde devant le téléviseur. Il semblait jaloux, lui aussi, de la récente affection d'Ebuka pour Muna, ce qui se voyait aux efforts qu'il déployait pour obtenir l'approbation de son père. Si Muna avait pu éprouver de la compassion, elle se serait apitoyée devant ses tentatives maladroites, repoussées plus souvent qu'appréciées.

Muna ne s'interrogeait jamais sur le comportement d'Ebuka, se concentrant sur celui de Yetunde et d'Olubayo. Elle les méprisait pour leur stupidité et se demandait comment ils pouvaient ne pas comprendre qu'Ebuka le faisait exprès, pour les agacer. Sans doute, pensait-elle, attiser la colère de Yetunde et voir Olubayo essayer désespérément d'attirer son attention lui inspirait-il un sentiment de pouvoir ; l'idée qu'il pouvait prendre plaisir à être assis auprès d'elle ne lui traversait jamais l'esprit.

Muna n'avait aucun désir de compagnie. La proximité était à redouter et à éviter. Elle préférait rester tapie dans un coin, seule. Écouter.

Yetunde faillit perdre la tête quand Ebuka demanda à Muna de l'emmener au jardin. Son irritation fut à son comble quand elle l'entendit ordonner à Muna d'enfiler un des anoraks d'Abiola encore suspendu dans la penderie du rez-de-chaussée et les bottes en caoutchouc posées dessous. Muna protesta : elles étaient trop grandes pour elle et elle ne voulait pas sortir. Elle n'avait jamais quitté la maison, elle avait peur du froid et de la pluie. Mais à force d'obstination, Ebuka réussit à la convaincre de prendre l'anorak à son crochet.

Elle céda parce qu'il lui avait dit que, sinon, il sortirait sans elle, et sa peur de rester seule avec Yetunde était plus grande que celle du dehors. Pourtant, l'idée de mettre les pieds à l'extérieur la terrifiait vraiment. Si elle avait su ce qu'était le lavage de cerveau, elle aurait compris pourquoi, car les pires corrections de Yetunde étaient liées au monde extérieur. Elle avait battu Muna impitoyablement chaque fois qu'elle l'avait surprise à regarder par une fenêtre ou à oser ouvrir la porte de la cuisine pour laisser la brise disperser la buée.

Peut-être fut-ce l'image de Muna portant les vêtements de son fils qui déchaîna la colère de Yetunde, ou simplement la fureur de voir ses ordres négligés, quoi qu'il en soit, Muna ne s'attendait pas à la violence de son agression. Elle se serait retrouvée à terre si l'une des grosses mains de Yetunde s'était abattue sur sa tête au lieu de saisir la manche de l'anorak. Si elle pensait empêcher ainsi Muna de lui échapper, elle avait oublié à quel point la fille était menue, car, en se refermant sur le tissu, ses doigts permirent à Muna de se glisser hors du vêtement sans lui laisser le temps de dire ouf.

Muna recula vers l'escalier, observant avec méfiance Yetunde vitupérer et hurler au milieu de l'entrée. Ebuka ignorait-il l'embarras dans lequel son infirmité l'avait plongée ? Fallait-il qu'il ne fasse aucun cas de la fierté de sa famille pour s'apprêter à s'exhiber ainsi en public ! Et pire encore, en se faisant accompagner par ce laideron, cet avorton de moricaude ! N'avait-il pas honte ?

C'est toi qui devrais avoir honte, répliqua Ebuka. *C'est toi qui me considères comme un infirme, et c'est toi qui as volé cette enfant. Je t'ai demandé bien des fois de remédier à ton ignorance, mais tu préfères t'empiffrer de bonbons plutôt que de nourrir ton esprit. Cela te rend aussi peu séduisante à mes yeux que je le suis aux tiens.*

Ses démons se sont emparés de toi ! hurla Yetunde.

Les démons sont dans ta tête et n'ont jamais été ailleurs, femme. Tu t'en sers parce qu'ils donnent une excuse à ta cruauté.

L'émotion fit frémir Yetunde de la tête aux pieds.

Tu n'as encore jamais nié leur existence !

Par faiblesse, voilà tout. Tu es moins difficile à vivre quand on te laisse faire à ta guise. Si ces démons existent, c'est en toi qu'ils sont… pas dans cette pauvre fille.

Elle t'a empoisonnée pour te monter contre moi.

Ne crois pas ça, gronda Ebuka. *Mes sentiments pour toi n'ont pas changé depuis notre mariage.*

Alors pourquoi me regardes-tu avec autant de haine ?

Parce que j'en ai assez de faire semblant. Il n'y a jamais eu d'amour entre nous. Nous avons été mal assortis dès le début, et depuis le jour de notre mariage toute joie a disparu de ma vie. Tu as appris à mes fils à être aussi cupides et paresseux que toi, et voilà que l'un d'eux a disparu et que l'autre est épileptique. Quel sujet de fierté me reste-t-il ?

Muna regarda, perplexe, Yetunde se balancer d'avant en arrière, effondrée par ce jugement implacable. Son désespoir paraissait sincère, mais Muna ne se l'expliquait pas. N'avait-elle pas exprimé des sentiments comparables en avouant n'avoir jamais voulu d'Ebuka comme mari ? N'avait-elle pas régulièrement reproché à Olubayo d'être faible d'esprit ?

L'affliction de Yetunde fut cependant éphémère et laissa place à un sursaut de colère.

Ne t'imagine pas que j'accepterai le divorce, aboya-t-elle. *Cette fille sera morte avant que j'accepte qu'elle te vole à moi.*

Ebuka secoua la tête avec mépris tout en avançant son fauteuil roulant jusqu'à l'endroit où était tombé l'anorak. Muna vit Yetunde serrer les poings quand il se pencha pour le ramasser et elle poussa un cri d'alarme. Trop tard. Yetunde fit un pas en avant et abattit les deux mains sur la nuque de son mari, pesant de tout son poids pour le faire basculer de son fauteuil, qui recula en tournoyant.

Muna avait imaginé cent fois des scènes de ce genre. Elle avait réfléchi à toutes les initiatives qu'elle pourrait avoir à prendre, à la pièce dans laquelle elle se trouverait quand viendrait le jour où elle serait obligée de se défendre. Heureusement, cela se passait dans l'entrée, son endroit préféré. Elle tourna le bouton de la porte de la cave et l'ouvrit avant de se glisser de l'autre côté du mur, derrière Yetunde.

Celle-ci mettait une telle fureur à s'acharner contre Ebuka qu'elle avait oublié Muna. Quand elle ne lui donnait pas des coups de pied dans la tête, elle piétinait ses bras, l'empêchant de ramper pour lui échapper. Elle riait à gorge déployée, et Muna était sûre qu'elle avait perdu la tête. Sa charpente massive semblait trembler de délice chaque fois qu'un gémissement de douleur sortait de la bouche de son mari.

Muna s'approcha discrètement du buffet d'acajou, juste à côté de la porte du salon, et attrapa le marteau qu'elle avait dissimulé derrière une grande photo de Yetunde. Si elle avait été plus grande et plus forte, elle se serait exercée mentalement à l'abattre sur le crâne de Yetunde, mais elle était trop frêle pour accomplir un geste aussi gratifiant et s'était dit depuis longtemps que le plus efficace serait de faire tomber Yetunde.

Elle savait que si celle-ci n'était pas trop grièvement blessée pour répliquer, elle risquait fort de le payer de sa vie ; aussi ces bagarres, quand elle en rêvait, étaient-elles sanglantes et violentes. Dans son esprit assoupi, ces songes se déroulaient un peu comme les films qu'elle voyait à la télévision. Elle appréciait particulièrement les scènes dans lesquelles elle enfonçait des ciseaux, encore et encore, dans la poitrine de Yetunde ou se laissait tomber à genoux pour abattre à maintes et maintes reprises le butoir de porte sur la main qui maniait la badine, jusqu'au moment où le bruit mat des chairs écrasées lui faisait comprendre que sa tortionnaire ne pourrait plus jamais s'en servir.

Mais elle n'avait pas imaginé qu'il serait aussi facile d'attaquer Yetunde. Folle de rage, la femme était aveugle à tout ce qui n'était pas Ebuka et une expression ahurie envahit son regard quand la tête massive du marteau s'abattit sur son abdomen saillant, juste sous les côtes. Elle regarda Muna, incrédule, ouvrit la bouche comme pour dire quelque chose, mais seul un mince soupir en sortit alors qu'elle reculait en titubant, essayant désespérément de reprendre son souffle.

Muna la poursuivit, abattant le marteau encore et encore au même endroit. Le plexus solaire avait toujours été la cible préférée de Yetunde quand Muna l'irritait, et celle-ci tombait toujours au premier coup de poing, pliée en deux de douleur, le souffle coupé. Yetunde était trop grosse pour succomber aussi vite, mais Muna jubilait en entendant les sifflements haletants que les coups successifs arrachaient à son visage bouffi. Chaque pas de la monstrueuse créature la rapprochait de la porte de la cave, et Muna crut entendre le Diable rire à la perspective de s'emparer de sa proie.

Yetunde agitait les deux mains, essayant de détourner le marteau, et adressait des appels suffoqués à son mari :

Ebuka ! Ebuka ! Au secours ! Au secours !

Comme il ne réagissait pas, Muna balança le marteau contre la rotule de Yetunde, observant, fascinée, la douleur lui écarquiller les yeux, plus grands qu'elle ne les avait jamais vus. Elle en éprouva une intense satisfaction.

Le Maître ne peut pas vous entendre, Princesse. Vos coups de pied l'ont assommé.

Yetunde tendit vainement les mains dans un geste de supplication.

Laisse-moi ! Si tu arrêtes tout de suite, je ne te punirai pas.

Muna l'ignora et rusa tout en abattant une nouvelle fois son arme contre la jambe de la femme.

Vous souffrirez moins si vous descendez à la cave de votre plein gré, Princesse. Je ne vous garderai pas prisonnière longtemps. Je vous délivrerai dès que le Maître aura repris des forces.

Peut-être les souffrances de Yetunde étaient-elles déjà trop grandes, car elle s'accrocha au montant de la porte et posa le pied à reculons sur la première marche.

Méchante ! cria-t-elle. *Tu m'as fait très mal.*

Oui, Princesse… Maintenant, vous allez descendre toute seule, ou bien le Diable vous entraînera en bas aussi facilement qu'il a entraîné le Maître.

Muna exulta en voyant la terreur envahir le visage de Yetunde et elle se demanda si la femme pouvait entendre le rire qui s'élevait des profondeurs. Il résonnait bruyamment aux oreilles de Muna. Un grondement grave et guttural dont les murs renvoyaient l'écho caverneux.

Tu es complètement folle, murmura Yetunde.

Je suis telle que vous m'avez faite, Princesse. Tout ce que je sais, c'est ce que vous m'avez appris.

Elle releva avec joie sur les traits de Yetunde la même horreur que celle qui avait envahi le visage d'Ebuka quand elle lui avait tenu des propos similaires. C'était bizarre. Ils avaient forcé Muna à devenir leur miroir mais n'aimaient pas leur reflet.

J'ai été bonne pour toi, Muna. Je t'ai offert un meilleur foyer que celui que tu aurais trouvé en Afrique.

Muna balança à nouveau le marteau.

Vous ne m'avez rien offert du tout, répliqua-t-elle, enfonçant à deux mains la tête de métal dans la bouche de Yetunde.

Elle recula, épuisée, tandis que le sang ruisselait des lèvres de la femme, et éprouva un merveilleux frisson en entendant le rire du Diable s'élever des entrailles de la terre et en voyant sa main surgir des ténèbres pour entraîner Yetunde.

10.

On aurait cru que le Diable avait arrêté le temps.

Quand Muna se retourna pour regarder Ebuka, il cherchait encore à échapper aux coups de pied de Yetunde, s'appuyant sur ses avant-bras et ses coudes pour progresser sur le sol, centimètre par centimètre. En silence, elle rangea le marteau derrière la photo puis s'agenouilla pour le tirer par l'épaule. Il sursauta de terreur, cachant sa tête entre ses bras et implorant Yetunde de ne plus le frapper.

La Princesse n'est pas là, Maître, dit Muna.

Ayant mobilisé toute son énergie pour traîner ses jambes paralysées derrière lui, Ebuka était trop épuisé pour relever le visage de la moquette ou le tourner vers elle.

Où est-elle ? demanda-t-il.

Je ne sais pas, Maître.

Je l'ai entendue crier.

Contre vous, Maître, c'est tout. Elle a poussé des cris terribles en vous donnant des coups de pied. Je l'ai avertie qu'elle allait vous tuer si elle n'arrêtait pas... puis j'ai couru me cacher au salon.

Tu es sûre qu'elle n'est plus là ?

Oui, Maître. Je crois qu'elle est montée. J'ai entendu la porte de la chambre à coucher claquer avant de venir voir comment vous alliez. Vous avez dû l'entendre aussi. Elle a claqué très fort.

Je ne m'en souviens pas.

Vous êtes tout étourdi, Maître.

Ebuka bavait sur la moquette.

J'ai dû perdre connaissance. Appelle la police. Elle est complètement folle et pourrait bien nous tuer tous les deux.

Je ne peux pas, Maître. Je ne sais pas me servir du téléphone.

Il poussa un gémissement de désespoir.

Mais qu'allons-nous faire ? Elle ne sera certainement pas de meilleure humeur quand elle redescendra tout à l'heure. Qui nous protégera, alors ?

Comment pouvait-on être aussi faible et aussi lâche ? s'étonna Muna. Personne ne l'avait protégée des colères incontrôlables de Yetunde. Muna s'était pris mille fois plus de coups de pied qu'Ebuka, pourtant elle ne s'était jamais plainte, elle n'avait jamais appelé au secours.

Je vais aller chercher la potence, Maître, et nous ferons comme quand nous nous exerçons, tous les jours. Il faut oublier votre souffrance et trouver la force de vous hisser jusque dans votre fauteuil. Ensuite, nous sortirons, comme nous l'avions prévu. Elle sera plus calme dans une heure.

Muna fit rouler la potence jusque dans l'entrée, abaissa la sangle et aida Ebuka à se retourner sur le dos. Pris d'une résolution nouvelle, il réussit même à s'asseoir quand elle prétendit entendre les pas de

Yetunde dans la chambre. La peur suffit à le convaincre qu'elle disait vrai et, d'une vigoureuse traction, il se souleva suffisamment haut pour que Muna puisse glisser le fauteuil roulant sous ses fesses.

Puis, dès qu'il fut en sécurité dans son siège, il redevint aussi passif qu'un petit garçon qui a fait ce qu'on lui avait demandé et refuse de continuer à coopérer. Muna lui enfila une veste imperméable, posa un plaid sur ses genoux et lui fit franchir la porte d'entrée, inclinant le fauteuil en arrière pour le faire passer sur l'allée en gravier. Ebuka était trop lourd, mais la nécessité lui donnait de la force. À chaque instant, elle craignait d'entendre Yetunde se remettre à hurler.

Vous allez rester ici pendant que j'enfile les bottes et l'anorak d'Abiola, Maître. Je vais aussi fermer la porte pour éviter que la Princesse vous voie si elle descend.

Et si elle t'agresse ? s'inquiéta-t-il.

Elle ne m'attrapera pas, Maître. Elle est trop grosse. Je filerai à toutes jambes si je l'aperçois dans l'escalier.

Muna resta plusieurs secondes l'oreille collée contre la porte de la cave avant de tirer le verrou et d'allumer. La Princesse était allongée sur le dos au bas des marches, le visage ensanglanté, les bras écartés. Elle était on ne peut plus morte. Avec un très léger soupir de soulagement, Muna replongea la cave dans l'obscurité et referma la porte. Son regard aiguisé repéra une minuscule tache de sang sur la moquette, à ses pieds, et elle courut chercher un torchon à la cuisine. Elle épongea soigneusement la tache puis vérifia qu'il n'y en avait pas d'autres. C'était la seule. Yetunde avait saigné de l'autre côté de la porte, pas dans l'entrée.

Avant de rincer le torchon dans l'évier, elle lava le marteau, attrapa le sac Vuitton de Yetunde sur la table basse du salon, vérifia qu'il contenait son portefeuille, ses produits de maquillage et son téléphone portable, puis sortit de la penderie son imperméable Givenchy préféré. Faute de temps pour chercher une meilleure cachette, elle sortit le sac d'ordures à moitié plein de la poubelle de la cuisine et fourra au fond tous les objets qu'elle avait rassemblés, avant de replacer le sac par-dessus.

Elle regagna l'entrée, enfila l'anorak et les bottes d'Abiola, glissa les clés de la maison dans sa poche et s'arrêta un moment pour laisser l'excitation retomber et prendre le temps de réfléchir. Que devait-elle emporter d'autre pour convaincre le Maître que Yetunde avait quitté la maison pendant leur absence ? S'il n'en était pas persuadé, il chercherait sa femme à l'intérieur, ce que Muna voulait à tout prix éviter. Sa vie était devenue plus facile depuis la disparition d'Abiola. Elle le serait encore plus si Yetunde connaissait le même sort que son fils.

Ebuka fronça les sourcils quand Muna ressortit.

Tu en as mis du temps ! Qu'est-ce que tu fabriquais ?

Muna brandit le téléphone de Yetunde, qu'elle avait finalement ressorti de la poubelle, et le combiné de la ligne fixe du salon.

Je suis allée chercher ça, Maître. Il vaut mieux que la Princesse ne puisse pas appeler la police.

Pourquoi ferait-elle une chose pareille ? C'est elle qui est en tort.

Pour vous créer des ennuis, Maître. Si elle dit que c'est vous qui l'avez frappée en premier, la Blanche la croira. Les policiers savent que vous vous mettez facilement en colère.

Ebuka poussa un soupir résigné, ne pouvant que donner raison à Muna.

Et ça, qu'est-ce que tu veux que j'en fasse ? lui demanda-t-il quand elle posa la badine sur ses genoux, à côté des téléphones.

C'est pour vous protéger de la Princesse quand nous rentrerons, Maître. Vous devrez l'avoir toujours avec vous dorénavant. Nous serons plus tranquilles quand elle aura appris à vous craindre.

Mais Ebuka savait que la peur ne résidait qu'en lui. L'attaque de Yetunde l'avait terrifié, et il était bien obligé d'admettre que Muna comprenait mieux que lui les crises de fureur de sa femme. Voilà pourquoi elle estimait qu'il devait être en mesure d'affronter Yetunde.

Il garda ses réflexions pour lui. Muna se trompait lourdement si elle se figurait qu'il s'était pris pour elle d'une affection suffisante pour faire passer son bien-être à elle avant le sien. S'il devait choisir entre apaiser sa femme violente à grand renfort de dragées et de cartes de crédit et prendre le parti d'une esclave impuissante, il apaiserait Yetunde.

Comme il l'avait toujours fait.

La pluie froide de décembre glaçait les mains et les joues de Muna, et ses pieds dérapaient sur le gravier tandis qu'elle poussait à grand-peine le fauteuil roulant. Ebuka avait beau l'aider en faisant tourner les roues, elle progressait difficilement, mais refusa de lui obéir quand il suggéra qu'ils aillent s'asseoir dans le pavillon du jardin.

La Princesse nous verra de sa fenêtre, Maître. Elle viendra s'en prendre à nous et vous serez obligé de la menacer avec la badine plus tôt que prévu.

Muna ne doutait pas qu'il se rangerait à son avis parce qu'elle ne se faisait aucune illusion sur son compte. Il craignait déjà la mauvaise humeur de Yetunde quand il avait encore l'usage de ses jambes. Maintenant qu'il n'était plus que l'ombre de lui-même, il avait encore moins envie de l'affronter. Il ne cessait de frotter ses bras contusionnés et songeait certainement qu'il ne supporterait jamais une nouvelle correction.

Il semblait lire dans ses pensées.

Je n'ai pas peur d'elle, dit-il.

Je crois que si, Maître. Sinon vous ne vous seriez pas donné autant de mal pour vous hisser dans votre fauteuil.

Au moins, j'ai prouvé que j'ai la force de le faire.

Oui, Maître. La Princesse sera étonnée de ne pas nous trouver quand elle redescendra. Ça l'inquiétera sûrement.

Pourquoi ?

Elle comprendra que vous êtes plus fort et plus courageux qu'elle ne le croyait, Maître. Elle vous a interdit de sortir, mais vous lui avez désobéi.

C'est toi qui en as eu l'idée, Muna.

Non, Maître. C'est vous. J'ai peur du monde extérieur. La Princesse ne se serait pas mise en colère si vous ne m'aviez pas ordonné de vous accompagner.

De quoi as-tu peur ?

De tout, Maître. Ma peau n'a jamais senti la pluie ni le froid. Je préfère être dedans.

Tu n'es jamais sortie ?

Jamais, Maître. La Princesse dit que je mourrai si je sors. Elle dit que les Blancs détestent les moricaudes comme moi et qu'ils me tueront si je sors de la maison et que je me perds.

Elle ment.

Je n'en suis pas si sûre, Maître. Ceux qui passent dans la rue ou que je vois à la télévision n'ont pas l'air gentils.

Elle arrêta le fauteuil roulant devant la grille, retira la badine et les téléphones de ses genoux et les rangea à l'abri du mur. Il s'en étonna.

Le gens se demanderont pourquoi vous avez ça sur vous, Maître. Cette badine est une arme redoutable.

Laisse-moi au moins le portable.

Muna s'accroupit pour recouvrir les objets de feuilles mortes.

La Princesse ne serait pas contente. Elle a tous ses secrets dedans.

Raison de plus pour que j'y jette un œil.

Cela ne vous rendra pas heureux, Maître. Rappelez-vous combien la Princesse a été fâchée de trouver des photos de dames blanches dans le vôtre.

Peut-être Ebuka aurait-il répliqué si une voix féminine stridente ne s'était élevée de l'autre côté de la grille. Ce son était tellement inattendu – et tellement importun – que Muna se recroquevilla contre le mur pour passer inaperçue.

— Quel plaisir de vous voir, monsieur Songoli ! J'avais cru comprendre, d'après ce que m'avait dit votre femme, que vous étiez trop souffrant pour quitter le lit. Vous avez pourtant l'air plutôt en forme. J'ai dû mal entendre.

— Je fais des progrès tous les jours, petit à petit, madame Hughes. C'est la première fois que je mets le nez dehors depuis mon retour de l'hôpital.

— Vous êtes seul ? Voulez-vous que je vous aide ? – Muna entendit le loquet se soulever. – Laissez-moi au moins vous aider à passer sur le trottoir. Mon père se plaignait toujours qu'il est affreusement difficile de rouler sur du gravier.

Ebuka fit un geste en direction de Muna.

— J'ai ma fille avec moi.

Muna coula un regard sous le capuchon de l'anorak et vit une Blanche qui avait l'air d'une sorcière avec ses longs cheveux gris, les petites veines éclatées de ses joues et son nez crochu. Sa peur s'accrut encore. Les yeux de la femme étaient aussi perçants que ceux de l'inspectrice Jordan.

Arrête de trembler et relève-toi, lui ordonna Ebuka sèchement. *Tu es ridicule. Elle va se demander ce que tu as.*

Muna se redressa tout en gardant les paupières baissées.

— Comme elle est jolie ! Comment s'appelle-t-elle ?

— Muna.

La femme tendit la main pour attraper ses doigts.

— Ravie de faire ta connaissance, Muna.

Elle te parle, regarde-la.

Muna leva la tête et sentit les yeux de la femme lui vriller le cerveau.

— Je t'ai déjà aperçue par la fenêtre, mon petit, mais je ne t'avais encore jamais vue dehors. Je te croyais aussi grande que tes frères. La distance peut être tellement trompeuse !

Muna pensait qu'Ebuka allait expliquer que sa fille était handicapée mentale et ne comprenait pas l'anglais, mais il garda le silence. Peut-être mettait-il Muna à l'épreuve. Peut-être ne croyait-il pas qu'elle avait réellement peur des étrangers. Que devait-elle faire ? Parler ? Ou filer et remonter l'allée jusqu'à la maison ? Il était préférable de parler, se dit-elle. Elle n'arriverait jamais à convaincre Ebuka que Yetunde avait quitté la maison s'ils rentraient tout de suite.

Nerveusement, elle passa la langue sur ses lèvres.

— Je vous vois quelquefois dans la rue, madame, dit-elle. Vous habitez la maison d'à côté et vous avez trois manteaux. Un brun, un bleu et un rouge... c'est le rouge que vous préférez.

Amusée, Mme Hughes haussa les sourcils. Ils étaient noirs comme jais et paraissaient dessinés sur sa peau avec un stylo. De près, elle était vieille et laide.

— Tu es bien observatrice.

Était-ce une qualité ou un défaut ? se demanda Muna. Elle avait envie de retirer sa main, mais la femme ne la lâchait pas. Les doigts blancs étaient chauds et leur contact déplaisant. La *proximité* de cette femme était déplaisante.

Mme Hughes se tourna vers Ebuka.

— On dirait qu'elle a peur de moi. C'est mon visage ? Mes petits-enfants disent que je ressemble à une sorcière.

Ebuka avait l'air décontenancé. Était-ce à cause de cette Blanche loquace ou de la facilité avec laquelle son esclave s'exprimait en anglais ? Muna n'aurait su le dire.

— Elle souffre de difficultés d'apprentissage, ce qui la rend timide, répondit-il précautionneusement. C'est pour cela qu'elle sort aussi peu.

— Quel âge a-t-elle ?

— Quatorze ans.

— Elle en fait moins... et elle est très différente de ses frères. Si vous ne me l'aviez pas dit, je ne me serais jamais doutée que c'était leur sœur. – Mme Hughes posa son autre paume sur la main de Muna et la frotta pour la réchauffer. – Elle est gelée. Tiens – elle enfonça une main dans sa poche et en sortit des gants de laine –, prends-les. J'en ai d'autres à la maison.

Muna s'adressa à Ebuka :

Que dois-je faire, Maître ? Si j'accepte, elle passera à la maison les rechercher... et la Princesse sera furieuse.

C'est un cadeau qu'elle te fait. Souris et dis merci.

J'ai peur d'elle, Maître. Elle voit tout et elle sait tout. Elle va continuer à poser des questions si nous nous attardons.

Fais ce que je te dis et nous pourrons partir.

Muna remonta les commissures de ses lèvres.

— Merci, madame. J'aime beaucoup vos gants... et vous aussi.

Peut-être tous les Blancs savaient-ils lire dans les pensées d'autrui, car Muna était convaincue que Mme Hughes avait conscience qu'elle mentait.

— J'aurais dû te dire plus tôt combien j'ai été affectée par ce qui est arrivé à ton frère, mon petit. Ça a dû être terrible pour toi.

— Oui, madame.

— Au moins, ton père va mieux. J'ai l'impression que tu t'occupes très bien de lui.

— Je lui fais faire ses exercices tous les jours, madame.

La femme enfonça les gants entre les mains de Muna avant de se retourner vers Ebuka.

— Arrivera-t-elle à manœuvrer votre fauteuil pour traverser les rues ? Elle est si menue !

— Nous n'allons pas loin.

Mme Hughes hocha la tête d'un air inquiet avant de leur dire au revoir et de poursuivre son chemin le long du trottoir.

Ebuka tendit la main dans la même direction, faisant signe à Muna de la suivre.

Mais Muna tourna le fauteuil dans l'autre sens.

Non, Maître, dit-elle avec assurance. *Il vaut mieux éviter Mme Hughes. Elle sait que je suis trop maigre pour être la sœur d'Olubayo et d'Abiola. Si j'étais vraiment sa fille, la Princesse m'aurait bourrée de dragées.*

11.

Le monde qui s'étendait au-delà de la maison était aussi effrayant que l'avait décrit Yetunde. Le ciel couvert et la pluie incessante coloraient tout de gris, même les visages des passants, et le cœur de Muna bondissait dans sa poitrine chaque fois que quelqu'un la frôlait ou grommelait en s'écartant pour éviter le fauteuil roulant d'Ebuka. Des chiens aboyaient derrière les murs des jardins, des moteurs vrombissaient, des cyclistes envoyaient des gerbes d'eau dans les bottes de Muna, plus pitoyable qu'elle ne l'avait jamais été.

Dans ses rêves d'évasion, elle ne s'était jamais imaginée dehors. Les quelques mots d'anglais qu'elle s'exerçait à prononcer – « Je vous en prie, aidez-moi. Je m'appelle Muna » – s'adressaient toujours à un Blanc imaginaire qui se présentait à la porte en l'absence de Yetunde. Mais Muna n'avait jamais eu le courage de mettre ce plan à exécution. Si quelqu'un sonnait quand elle était seule dans la maison, elle se recroquevillait dans un coin obscur et retenait son souffle jusqu'à ce que l'inconnu s'en aille. Elle avait jugé plus sûr d'obéir à Yetunde que de se risquer à faire confiance à un Blanc.

Mais elle était bien obligée de marcher parmi tous ces gens si elle voulait convaincre Ebuka que Yetunde avait quitté la maison, folle de colère, pendant leur absence. Aussi grande que fût sa peur, elle s'efforçait de l'ignorer. Bientôt, pourtant, elle perdit tout sens de l'orientation et comprit qu'elle ne retrouverait pas son chemin si Ebuka s'énervait contre elle. Jamais elle n'aurait le courage de demander à un étranger où se trouvait le Vingt Trois Fortis Row Ène Dix.

Ses bras grêles étaient douloureux à force de pousser le fauteuil sur les pavés. Des ampoules blessaient ses pieds dans les bottes d'Abiola et ses maigres réserves d'énergie furent bientôt épuisées. Elle n'avait pas marché aussi longtemps depuis que Yetunde l'avait volée. Des larmes d'épuisement ourlaient ses cils, mais elle gardait la tête baissée pour qu'Ebuka ne les voie pas.

Tout le monde les regardait. Les yeux se posaient d'abord sur le paralysé, puis sur l'affreuse moricaude qui le poussait. Yetunde avait eu raison de les avertir qu'ils ne feraient que se ridiculiser, car Muna ne décelait aucune bonté dans les sourires des passants. Elle les trouvait moqueurs et cruels, et était convaincue que Yetunde avait dit vrai. Un Noir ne devrait jamais attendre d'aide d'un Blanc.

Son courage acheva de l'abandonner quand ils arrivèrent dans une large avenue bordée de magasins et remplie de véhicules et de piétons. Ebuka tendit la main vers des lumières étranges et lui indiqua qu'ils pouvaient traverser à cet endroit-là, mais Muna avait trop peur pour faire un pas de plus. Elle s'arrêta net, terrifiée par la multitude de gens à la mine sévère, aux lèvres bleuies, qui se bousculaient, voûtés sous leurs parapluies, tandis que les voitures et les bus passaient à quelques centimètres de leur tête.

Elle claquait des dents de froid.

Il faut rentrer, Maître.

Mais Ebuka avait repris du poil de la bête. Quand Muna lisait de la raillerie sur les visages qu'ils croisaient, il y voyait de la compassion et de la considération.

Nous n'avons fait que quelques centaines de mètres, objecta-t-il.

La maison est très petite par rapport à la rue, Maître. Je ne suis jamais allée aussi loin et j'ai du mal à pousser votre fauteuil. J'ai les jambes qui tremblent.

Alors repose-toi un instant.

Où ça, Maître ? Si je m'accroupis ici, les gens vont se demander ce que j'ai.

Il y a un café un peu plus bas dans la rue. Mes amis y vont souvent. Tu pourras t'y reposer.

Nous ne pouvons pas faire ça, Maître. Vos amis se demanderont pourquoi je vous ressemble aussi peu, à vous et à la Princesse. Ma peau est beaucoup plus claire et je n'ai presque pas de chair sur les os. Il vaut mieux prétendre que votre fille est trop handicapée pour sortir que de l'exhiber devant vos connaissances.

Ebuka lui donna raison à contrecœur et l'aida en faisant tourner les roues tandis qu'ils prenaient le chemin du retour. L'effort le rendait irascible et il déversa sa mauvaise humeur sur Muna, lui reprochant de dissimuler son visage sous son capuchon et de traîner des pieds.

Tu me déçois, grommela-t-il. *J'aurais cru que tu avais plus de cran que ça.*

Je regrette, Maître. Je suis fatiguée, c'est tout.

Moi aussi, Muna, moi aussi… Il n'empêche que tu comptes toujours sur moi pour te protéger de la Princesse.

Si vous ne le faites pas, elle nous tuera tous les deux, Maître.

Tu exagères.

Je ne crois pas, Maître. La Princesse n'aurait pas dit à la sorcière blanche que vous étiez trop malade pour sortir de votre lit si elle n'avait pas l'intention de vous voir mourir.

Si Ebuka avait jamais été décidé à affronter sa femme, il en avait perdu toute envie lorsqu'ils se retrouvèrent devant la grille. Avant son accident, il avait eu l'habitude de sortir à sa guise – de quitter la maison et de prendre sa voiture pour rechercher la compagnie plus agréable de prostituées –, puis d'endurer la mauvaise humeur de Yetunde jusqu'à la mise sur le marché d'un nouveau sac de grand couturier. Peu lui importait qu'elle se défoule contre Muna et ses fils tant qu'il n'en était pas témoin.

Il était moins optimiste à l'idée de jouer lui-même le rôle de la victime et réclama à Muna le smartphone de Yetunde pour appeler Jeremy Broadstone. Yetunde était trop paresseuse pour s'embarrasser de mots de passe ou de codes et il n'aurait pas de mal à trouver le numéro de l'avocat. Ils attendraient son arrivée sur le trottoir. La Princesse ne faisait jamais de scènes devant des visiteurs.

Muna aurait discuté si elle n'avait pas craint d'éveiller les soupçons d'Ebuka. Il s'étonnerait qu'elle renâcle à accepter la protection de l'avocat alors qu'elle l'avait mis en garde avec tant d'insistance contre Yetunde. Mais elle était terrifiée à la perspective que maître Broadstone entre chez eux. Il réfléchissait comme un policier et exigerait de passer toute la maison au peigne fin. Or elle n'aurait aucune explication à donner à ce qu'il ne manquerait pas de découvrir. Ses rêves si délicieux, si vivants, de ce qu'elle ferait subir à Yetunde ne lui avaient pas appris à affronter les conséquences de la souffrance qu'elle infligerait. Elle n'avait pensé qu'à la joie qu'elle éprouverait.

Elle alla chercher le téléphone et écouta impassiblement la conversation à sens unique d'Ebuka avec la secrétaire de maître Broadstone. Muna savait mieux cacher sa crainte d'être démasquée qu'Ebuka ne savait dissimuler sa peur de la colère de Yetunde. Il devint grossier et agressif quand la secrétaire lui répondit qu'il était impossible de joindre l'avocat. Il lui reprocha vertement d'ignorer que maître Broadstone prenait toujours ses appels.

Muna le tira par la manche quand la communication s'interrompit brusquement.

Il vaudrait mieux rentrer, Maître. Votre voisine revient. Elle va se demander pourquoi nous sommes sur le trottoir et elle recommencera à poser des questions.

Si Ebuka s'était retourné, il aurait su que Muna mentait, mais il secoua la tête d'exaspération, persuadé qu'il fallait éviter toutes les femmes. Muna lui prit le téléphone des mains et le fit tomber dans sa poche avant de soulever le loquet de la grille.

J'ai du mal à passer sur les graviers, Maître. Il faut que vous tourniez les roues pendant que je pousse. Je vais vous conduire jusqu'au pavillon.

Ebuka ronchonna, épuisé par ce nouvel effort. Les femmes étaient des démons. Elles n'avaient aucun respect pour les hommes. Elles s'asticotaient, se chamaillaient et se vouaient mutuellement aux gémonies, échangeant des ragots malveillants pour fomenter des divisions. La jalousie dominait toutes leurs relations. Il l'avait constaté avec sa mère et ses sœurs dans son enfance, et c'était pareil entre Muna et sa maîtresse.

Pourquoi devrais-je te croire plus que la Princesse ? demanda-t-il d'un ton agacé alors que Muna faisait franchir la porte du pavillon à son fauteuil. *Vous dites n'importe quoi, l'une comme l'autre. Elle t'accuse de vouloir m'épouser et toi, tu l'accuses d'intentions meurtrières. Un homme a tout intérêt à rester sourd à pareilles sottises s'il veut rester maître de sa vie.*

Oui, Maître.

Où vas-tu ? lança-t-il alors qu'elle se dirigeait vers la pelouse.

Chercher la badine, Maître. Vous ne serez pas tranquille longtemps si la Princesse sort.

Alors laisse-moi son téléphone. Je vais appeler l'inspectrice Jordan. Yetunde ne bronchera pas devant elle. Elle en a peur.

Mais Muna fit celle qui n'entendait pas. Elle retira les bottes d'Abiola et courut pieds nus sur l'herbe gelée. En dégageant la badine du monticule de feuilles, les larmes lui vinrent aux yeux et elle se reprocha d'avoir pris le téléphone de Yetunde. Elle voulait seulement avoir une explication toute prête au fait que celle-ci ne s'en soit pas servi, mais voilà qu'Ebuka risquait de l'utiliser pour appeler la police.

Le Diable avait tort de l'appeler Sa Rusée.

Des images de corrections – plus brutales que toutes celles qu'elle avait déjà endurées – tournoyaient dans son esprit, lorsqu'elle perdit connaissance et glissa au sol sans un bruit.

Une main lui caressait la joue.

— Ma pauvre petite. Tu es à moitié morte de faim et ta peau est de nouveau glacée. Et tu es si pâle ! Ta mère t'empêche-t-elle de prendre le soleil ? – Muna reconnut la voix de la sorcière blanche. Une main effleurait la cicatrice boursouflée de son pied. – Je crois que tu m'entends, Muna. Pourquoi n'as-tu ni chaussures ni chaussettes ? Et qu'est-ce que c'est que cette blessure ? Quelqu'un t'aurait-il brûlée délibérément ? Parle-moi, mon enfant. Pourquoi es-tu dehors toute seule ? Où est ton père ?

Muna avait beau savoir qu'il fallait répondre, elle était épuisée et ses pensées étaient confuses. Elle dit la vérité parce qu'elle ne se souvenait pas d'autre chose, mais n'eut pas la force d'ouvrir les yeux.

— Il est dans le pavillon, madame. Je suis venue chercher la badine et le téléphone. J'ai dû courir si vite que j'ai retiré les bottes d'Abiola. Est-ce que je suis malade ?

— Non, mon petit, mais tu as présumé de tes forces. Tu n'es pas assez solide pour t'agiter comme ça. Je passais devant votre grille quand tu t'es approchée et je t'ai vue t'effondrer quelques instants après. – Un bras se glissa sous la nuque de Muna et l'aida à s'asseoir. – Penche-toi en avant. Ça ira mieux, tu verras.

Ensuite, Muna n'eut plus rien à faire ni à dire. Mme Hughes la souleva dans ses bras et la porta jusqu'à Ebuka, exigeant des explications. Elle voulait savoir pourquoi une fille de quatorze ans souffrait de malnutrition au point qu'une femme puisse la soulever sans mal. Elle voulait savoir pourquoi Muna ne sortait jamais, pourquoi elle portait des bottes trop grandes pour elle, pourquoi elle avait des cicatrices de brûlure aux pieds, pourquoi on avait laissé une badine et un combiné téléphonique à côté de la grille.

— J'ai été enseignante toute ma vie, monsieur Songoli, et je sais reconnaître les cas de maltraitance. Savez-vous que l'usage délibéré de la force contre un enfant est illégal dans ce pays ? J'ai été très inquiète en voyant cette badine.

Mais Ebuka refusa de se justifier.

— Vous n'avez qu'à parler à ma femme, dit-il en enfouissant son visage dans ses mains. J'en ai plus qu'assez de devoir l'excuser.

Mme Hughes fit asseoir Muna sur une chaise.

— Que veut-il dire ?

Muna reprit ses esprits en même temps qu'un peu de vigueur.

— Mamma a mauvais caractère, répondit-elle timidement. C'est devenu pire depuis que nous avons perdu Abiola. Elle passe son désespoir sur nous. Nous avons pris la badine pour pouvoir nous protéger si elle voulait nous faire du mal. – Elle se pencha pour remonter la manche de la veste d'Ebuka. – Elle a fait ces marques aux bras de Papa ce matin, en le faisant tomber de son fauteuil et en lui donnant des coups de pied. Il a essayé de se défendre, mais il était presque assommé par les coups qu'il a reçus à la tête.

Les traces de décoloration de sa peau sombre étaient très visibles et Mme Hughes eut l'air bouleversée.

— Vous avez prévenu la police ?

— Non, madame. Que voulez-vous qu'elle fasse contre le chagrin de Mamma ? Nous sommes sortis pour lui échapper. Elle doit s'être calmée maintenant.

— Sans doute... mais... – Mme Hughes s'interrompit pour prendre la main de Muna. – Et *toi,* est-ce qu'elle te frappe, mon petit ? Est-ce qu'elle te donne moins à manger qu'à tes frères ? Est-ce elle qui t'a fait cette brûlure au pied ?

— Non, madame. J'ai laissé tomber de l'huile bouillante par maladresse quand j'étais petite, et puis il y a des choses qui ne vont pas dans ma tête, alors j'ai souvent du mal à manger. Le cerveau d'Olubayo est abîmé aussi. Il est devenu épileptique après la disparition d'Abiola. Ça contrarie beaucoup Mamma. Elle a honte d'avoir des enfants handicapés mentaux et un mari qui ne peut pas marcher.

Mme Hughes parut gênée, comme si Muna en avait dit plus qu'elle n'aurait dû.

— Est-ce exact, monsieur Songoli ? Votre fils est vraiment épileptique ?

Il hocha la tête.

— Le malheur s'acharne contre nous. Yetunde a bien du mal à y faire face.

— Elle a besoin d'assistance. Nous disposons d'excellents services sociaux dans cette ville. Permettez-moi au moins de faire mettre en place un service d'aide ponctuelle.

Muna répondit sans laisser à Ebuka le temps de le faire :

— Qu'est-ce que ça veut dire, « ponctuelle », madame ?

— Il s'agit de seconder ta maman pendant un moment, de lui permettre de souffler un peu. Des infirmières viendront s'occuper de ton papa, pour que ta maman ait un peu de temps pour elle. Tu penses que ça pourrait l'aider ?

Muna songea que Mme Hughes n'était pas aussi perspicace qu'elle l'avait cru. En fait, elle avait l'air idiote avec ses sourcils dessinés, relevés par la curiosité.

— Oh, sûrement, madame, dit-elle en remontant ses lèvres dans un sourire timide. Vous voulez bien lui en parler ? Elle vous écoutera plus facilement que Papa ou moi. Si vous m'aidiez à pousser le fauteuil jusque dans la maison, vous pourriez expliquer tout ça à Mamma. Elle ne devrait plus être en colère maintenant.

— Ça te ferait plaisir que je fasse ça ?

— Oui, madame. – Muna sortit les clés de la maison de la poche de son anorak et les tendit à la femme. – Je les ai prises parce que j'avais peur qu'elle ne nous laisse plus rentrer.

Muna s'effaça lorsqu'ils arrivèrent devant la porte et ce fut Mme Hughes qui l'ouvrit et inclina le fauteuil d'Ebuka pour lui faire franchir le seuil. Il avait la badine sur les genoux et s'y cramponnait avec appréhension pendant que la voisine le poussait dans l'entrée. Il appela Yetunde plusieurs fois, mais seul le silence lui répondit. Muna elle-même, attentive à tout bruit éventuel en provenance de la cave, n'entendit rien.

Mme Hughes fit pivoter le fauteuil en direction du salon et jeta un coup d'œil à l'intérieur.

— Je me demande où elle est passée.

— Elle est montée à l'étage juste avant que nous sortions, Muna et moi, lui dit Ebuka. Nous avons entendu la porte de la chambre claquer.

— Voulez-vous que j'aille voir ?

— Il vaudrait mieux que Muna s'en charge.

Mais Muna secoua la tête et parla en haoussa.

J'ai trop peur, Maître. La Princesse pourrait me frapper.

Visiblement, Mme Hughes n'avait pas besoin de traduction. Ce qu'elle lut sur les traits de Muna ou entendit dans sa voix tremblante la persuada d'ignorer Ebuka. Muna la trouva bien courageuse de monter l'escalier sans savoir ce qui l'attendait. Peut-être son courage venait-il de ce qu'elle était blanche.

Elle attendit que les pas de Mme Hughes résonnent sur le palier puis effleura le coude d'Ebuka, lui montrant la table basse du salon.

Le sac à main de la Princesse n'est plus là, Maître. Il y était pourtant quand je suis venue chercher son portable. Voulez-vous que j'aille voir si elle a aussi pris son manteau ?

12.

Yetunde faisait peine à voir. Elle était assise, adossée contre le mur du fond, ses grosses jambes étalées devant elle, sa robe remontée en vilains plis autour de sa taille et une flaque d'urine entre les cuisses. La poussière avait terni ses cheveux et sa peau, et des larmes d'angoisse avaient fait couler son mascara. Ses lèvres, qui avaient doublé de volume et étaient couvertes de croûtes de sang séché, lui donnaient l'air d'un clown et, malgré tous ses efforts, elle était incapable de les écarter.

Muna s'accroupit à une distance respectueuse, cherchant à évaluer son état. Les traces d'éraflures et les taches de sang qui maculaient les pierres révélaient le chemin qu'elle avait parcouru en rampant pour rejoindre le mur, mais la position de ses mains posées sur ses genoux, paumes roses vers le haut, n'était pas naturelle.

J'ai cru que vous étiez morte, Princesse. Je n'aurais pas laissé Mme Hughes entrer dans la maison si j'avais su que vous étiez encore en vie.

Muna posa l'extrémité de la badine sur le genou enflé, là où le marteau avait brisé la rotule ; elle la glissa ensuite sous le poignet droit de Yetunde et examina le fragment d'os blanc qui perçait la peau. La souffrance envoyait comme des décharges électriques dans l'énorme corps, mais aucun son ne sortait des lèvres tuméfiées. Seuls des grognements gutturaux s'échappaient des narines, en même temps que des mucosités.

S'étant assurée que Yetunde était parfaitement inoffensive, Muna s'avança tout doucement vers elle pour poser le sac Vuitton et l'imperméable Givenchy sur ses genoux. Elle n'était pas restée inactive pendant les trois heures qui s'étaient écoulées depuis le départ de Mme Hughes et avait même pensé à glisser le portable de Yetunde dans la poche d'Ebuka.

La sorcière blanche est partie et le Maître s'est endormi juste après, Princesse. Votre agression l'a épuisé, et notre excursion aussi. Ils sont sûrs que vous êtes allée faire du shopping. Le Maître a expliqué à la sorcière blanche que vous faites toujours ça quand vous êtes fâchée – dépenser de l'argent pour vous faire plaisir. Elle n'a pas eu de mal à le croire. Elle dit que vous possédez plus de chaussures et de manteaux que toutes les personnes qu'elle connaît.

Elle regarda Yetunde essayer de lever une de ses mains pour ouvrir son sac.

Il ne contient rien qui puisse vous aider, Princesse. J'ai pris votre portable quand nous sommes sortis, le Maître et moi. Je suis bien plus intelligente que vous ne le croyez. Je n'ai pas oublié que l'inspectrice Jordan a dit un jour que ces téléphones peuvent livrer beaucoup de renseignements à la police, et même lui permettre de localiser la personne qui s'en sert... je savais qu'on s'étonnerait que vous ne vous en soyez pas servi pendant que vous faisiez les magasins. Il vaut mieux que ce soit le Maître qui le garde désormais. Il le montrera à la police, et elle en apprendra aussi peu avec lui qu'avec celui d'Abiola.

Elle inclina la tête pour dévisager attentivement Yetunde.

Vous êtes très laide, Princesse. Vous nous ferez honte à tous si on vous trouve comme ça. Vous avez la figure et la voix d'un porc et vous empestez à cause des liquides qui sortent de vous. Les gens trouveront que le Maître avait raison de préférer sa petite moricaude quand ils découvriront à quel point vous êtes sale et laide. Ils verront qu'il a épousé une truie, pas une femme. Regrettez-vous maintenant de ne pas avoir été plus gentille avec la petite Muna ?

Comme toujours, elle n'avait aucun mal à lire dans les pensées de Yetunde. Celle-ci n'avait jamais déguisé ses sentiments. Elle était convaincue de sa puissance quand sa colère inspirait la peur et son pardon le soulagement. Muna observa les yeux exorbités qui balançaient entre fureur et panique – remplis d'éclairs à un moment, suppliants l'instant suivant – et constata qu'avant tout Yetunde était accablée de désespoir.

Elle se trouvait dans le même lieu inhospitalier qu'Ebuka avant elle et prenait conscience, avec le même choc, que la fille accroupie devant elle était une inconnue. Accuser Muna d'être possédée par des démons : son imagination n'était jamais allée plus loin. Elle n'avait jamais pensé qu'une enfant, aussi silencieuse et aussi obéissante durant tant d'années, pouvait vouloir la tuer.

Vous espérez sans doute qu'Olubayo se mettra à votre recherche quand il rentrera de l'école, Princesse, mais vous vous trompez. Il ne sera que trop heureux, comme le Maître, d'échapper à votre langue acérée et croira ce que son père lui dit... que vous vous êtes mise en colère et êtes allée bouder ailleurs.

Yetunde secoua la tête.

Il ne faut pas désirer des choses qui n'arriveront pas, Princesse. Ce soir, en constatant que vous ne rentrez pas, nous fouillerons votre chambre, Olubayo et moi, et nous découvrirons que vos plus beaux vêtements ont disparu... en même temps que votre valise bleu vif et tout ce qu'il vous faut pour vous faire belle.

Elle esquissa un geste vers la valise posée à côté d'elle.

Quand le Maître s'est endormi, j'y ai rangé vos plus jolies robes, vos parfums et vos bijoux les plus précieux. Olubayo constatera qu'ils ne sont plus là... et quand il le dira au Maître, le Maître pensera que vous êtes allée à l'hôtel... comme vous l'avez fait le jour où vous avez trouvé les photos des dames blanches dans son téléphone. Vous aviez passé cinq jours à dépenser son argent pour lui apprendre à ne plus le gaspiller avec des putains.

Muna ouvrit le sac Vuitton et en sortit le passeport de Yetunde.

Ensuite, le Maître cherchera ça dans le tiroir du buffet, et il ne le trouvera pas non plus. Quelle chance que vous l'ayez battu aujourd'hui ! Maintenant, il vous déteste et il vous craint. Il se dira que vous êtes partie chez votre sœur en Afrique – vous menacez toujours de le faire quand vous êtes fâchée – et il sera content. Sans vous, il retrouvera la joie.

Yetunde ferma les yeux. De nouvelles larmes brillaient sur les coulures de mascara.

Ebuka était réveillé quand Muna regagna son chevet. Elle l'aida à s'asseoir dans son fauteuil roulant et le poussa jusqu'au salon, lui conseillant de regarder toutes les émissions qui lui plaisaient aussi longtemps qu'il en avait envie. À son retour, Yetunde exigerait qu'il change de chaîne, mais il devrait être ferme.

Elle aura plus de respect pour vous si vous ne cédez pas, Maître.

Il passa une main lasse sur son visage.

Les choses sont allées trop loin, Muna. J'ai regardé les messages contenus dans son portable et tu avais raison : elle veut ma mort. Elle a adressé à sa sœur des textos abominables, regrettant que j'aie survécu à mon accident.

Elle a dit la même chose à maître Broadstone.

Nous ne devrions plus vivre sous le même toit. Ce n'est sain ni pour elle ni pour moi. Je n'ai aucune envie d'être là quand elle reviendra.

Olubayo ne va pas tarder à rentrer, Maître. Vous serez plus tranquille quand il sera là. La Princesse ne peut pas vous agresser tous les deux.

Depuis la cuisine, Muna écouta Ebuka raconter à son fils les événements de la matinée. Il en fit un récit théâtral. Yetunde était devenue folle, elle s'était jetée sur son mari avec une telle férocité qu'elle avait bien failli le tuer. Ebuka avait miraculeusement réussi à regagner son fauteuil grâce au palan, ce qui lui avait sauvé la vie. Mais qui pouvait dire ce qui serait arrivé si Muna et lui n'avaient pas pris la fuite ?

Olubayo – flatté que son père se confie à lui – insista pour qu'Ebuka prévienne la police avant le retour de Mamma. Une journée d'emplettes ne suffirait pas à la calmer. Consciente qu'Ebuka risquait de se laisser convaincre, Muna leur apporta des bols de bouillon sur un plateau. Olubayo lui jeta un regard noir, comprenant parfaitement le but de son intrusion – attirer l'attention d'Ebuka sur elle –, mais elle fit celle qui ne voyait rien. Elle prit au contraire grand soin de dire du bien de lui.

Vous avez l'air moins abattu, Maître. Je vous avais bien dit que la présence de votre fils vous réconforterait. Avec lui, vous êtes en sécurité. Il est plus fort et plus déterminé que sa mère ne le croit.

Il voudrait que j'appelle la police.

Muna se pencha pour poser le plateau sur la table basse.

Il n'a peut-être pas tort, Maître. Mme Hughes vous a donné le même conseil. Elle a eu l'air très choquée de voir que la Princesse vous avait frappé aussi violemment. L'inspectrice voudra savoir pourquoi la Princesse s'est mise en colère et elle posera beaucoup de questions... Vous aurez peut-être du mal à répondre à certaines... mais quand vous lui montrerez vos bleus, elle comprendra que vous avez de bonnes raisons de redouter votre femme.

Olubayo n'appréciait pas que Muna se permette de donner son avis.

L'inspectrice ne viendra pas, lança-t-il avec dédain. *Ils enverront un type en bagnole qui dira à Papa de fermer la porte à clé et de les rappeler quand Mamma reviendra.*

Il saura forcément qu'Abiola n'a toujours pas été retrouvé.

Et alors ?

Il racontera à l'inspectrice Jordan que la Princesse a violemment frappé son mari, et elle viendra ici pour essayer de comprendre pourquoi. Elle est convaincue que le Maître s'est mis en colère contre Abiola. Apprendre que la Princesse est capable d'être encore plus violente que son mari l'intéressera sûrement.

Ebuka leur ordonna de cesser de discuter et but son bouillon en silence. Quand il eut terminé, il demanda à Muna de fermer les verrous de la porte d'entrée. Il serait encore temps de prendre une décision quand Yetunde reviendrait. Ils devineraient son humeur dès qu'elle découvrirait qu'elle ne pouvait pas entrer.

Muna resta aux aguets plusieurs minutes devant la porte d'Olubayo avant de l'entrouvrir pour vérifier qu'il dormait. Elle n'avait pas besoin de lumière. Des années de réclusion lui avaient appris à décrypter toutes les ombres dans les ténèbres et elle distinguait Olubayo comme en plein jour. Il était allongé en chien de fusil, les paupières closes, la respiration lente et régulière.

Elle descendit silencieusement l'escalier pour rejoindre Ebuka : il était aussi profondément endormi que son fils, elle entendit ses ronflements avant même d'ouvrir la porte de la salle à manger. Heureusement que ses médecins lui avaient donné des comprimés pour l'aider à trouver le sommeil. Elle les reconnaissait à la couleur du paquet et n'avait eu aucun mal à en écraser deux dans sa boisson du soir et un dans celle d'Olubayo.

Pauvre Yetunde. Même si elle avait été capable d'appeler au secours, personne d'autre que Muna ne l'aurait entendue.

Muna déposa une bougie allumée sur le sol de la cave et s'accroupit à côté de Yetunde, constatant avec satisfaction que la Princesse avait les yeux ouverts. Le froid, la peur et la douleur la maintenaient éveillée, ces trois sensations empêchant le cerveau et le corps de se reposer. Muna était bien placée pour le savoir et se réjouissait que la Princesse l'apprenne à son tour. Il était bon et juste qu'elle souffre comme Muna avait souffert.

Elle avait à peine changé de position car Muna l'avait bâillonnée avec de l'adhésif d'emballage et avait attaché ses poignets cassés aux poignées de deux lourdes malles. Seule sa jambe indemne avait légèrement glissé, comme pour soulager la pression d'un nerf ou d'un muscle. Peut-être le moindre mouvement était-il trop douloureux, ou bien le manque de souffle l'avait privée d'énergie. Elle ne pouvait respirer que par le nez, encombré des mucosités que ses grognements faisaient remonter de sa gorge.

Elle avait l'air terrifiée, songea Muna. Avait-elle prié inlassablement pour que quelqu'un qui tenait à elle descende les marches ? Ou avait-elle entendu résonner le rire du Diable dans les murs ? Muna L'entendait, elle, elle Le sentait. Un grondement sourd qui faisait trembler et vibrer l'air de la cave.

Elle observa Yetunde patiemment pendant plusieurs minutes et elle l'aurait observée plus longtemps encore si elle n'avait pas eu sommeil, elle aussi. La journée avait été épuisante et elle avait encore beaucoup à faire. Mais elle savourait la terreur qu'elle lisait dans les grands yeux révulsés de Yetunde. Elle posa la main sur la valise remplie qu'elle avait posée à côté d'elle dans l'après-midi.

Vous pouvez abandonner tout espoir, Princesse. Olubayo a fouillé votre chambre et découvert que cette valise manquait, et le Maître a regardé dans le buffet et il sait que votre passeport n'y est plus. Ils sont persuadés que vous étiez tellement en colère que vous êtes retournée chez votre sœur. Ils n'appelleront pas la police... Le Maître n'a pas envie de la prévenir, parce qu'il ne souhaite pas que les Blancs sachent que sa femme n'a aucun respect pour lui.

Elle scruta avec curiosité les yeux suppliants et exorbités de Yetunde, puis se releva et commença à déplacer les cartons et les malles empilés contre le mur du fond. Derrière eux se dressait une série de très vieux casiers métalliques qui montaient du sol au plafond, couverts de poussière et de toiles d'araignées. Certains espaces de rangement accueillaient des bouteilles de vin vides, mais la plupart ne contenaient rien. Muna remarqua que des mains s'étaient posées sur le métal, faisant tomber la poussière par endroits, et se demanda si ces empreintes avaient été laissées par Ebuka quand il était venu retirer son matelas ou par la police quand elle avait fouillé la cave à la recherche d'Abiola.

Elle veilla soigneusement à ne pas laisser de traces lorsqu'elle glissa la main dans une niche située au niveau de sa taille, tâtonnant du bout des doigts pour localiser la fissure dans le mince revêtement de pierres du fond. Au début, ne pouvant imaginer que Yetunde et Ebuka ignoraient l'existence d'une deuxième cave, elle avait hésité à toucher au casier métallique, de crainte d'être punie si Yetunde s'apercevait qu'elle l'avait découverte. Mais le temps passant, constatant que les Songoli ne savaient rien, elle avait éprouvé le désir croissant de leur dissimuler cette trouvaille.

Ce secret appartenait à Muna et à nul autre. Le Diable le lui avait révélé une nuit où Ebuka avait oublié sa lampe torche par terre, à côté de son matelas. Elle ne savait pas depuis combien de temps elle était dans la maison – *une semaine ? une saison ? un an ?*–, mais quand elle avait eu le courage d'allumer la lampe, la cave était devenue moins effrayante. Jusqu'alors, le local avait été plongé dans une ombre menaçante et Muna n'avait pu l'entr-apercevoir qu'à la lueur de l'ampoule de l'entrée, quand Yetunde ouvrait la porte pour la faire descendre le soir ou remonter le matin.

La lumière de la lampe de poche lui avait révélé un espace plus exigu qu'elle ne l'avait imaginé – la moitié de la surface de l'entrée et de la penderie sous laquelle il était situé – et son attention avait été immédiatement attirée par les alvéoles de métal poussiéreuses qui se trouvaient devant elle, éclairées directement par le faisceau de la lampe torche. Elle avait trouvé que c'était une curieuse façon de construire des étagères avant d'apercevoir des bouteilles dans certaines niches et de deviner à quoi ce meuble servait. Il n'y avait rien d'autre, hormis un petit carton qui luisait, blanc, contre la noirceur du casier métallique.

Il était accroché par une ficelle au goulot d'une bouteille vide et Muna avait distingué le dessin, même à cinq mètres. Il était simple et clair – le contour d'une main au long majeur tendu – et elle ne cesserait jamais de croire qu'il avait été disposé là à son intention. Alors que d'autres auraient simplement vu dans ce diagramme une plaisanterie obscène, Muna y avait reconnu un signe et avait suivi les instructions docilement, retirant la bouteille et glissant le bras jusqu'au fond de l'alvéole.

Elle se retourna vers Yetunde au moment où son doigt pressa le loquet dissimulé dans la fissure et où un pan du mur bascula. De l'orteil, elle appuya sur la solide barre fixée sur la partie inférieure du métal pour agrandir l'ouverture et exulta en voyant une terreur sans nom envahir le visage de Yetunde lorsqu'elle sentit un froid plus vif encore s'insinuer jusqu'à elle.

Le dessin du doigt tendu gisait sur le sol de la deuxième cave. Muna l'avait mis là pour éviter que Yetunde découvre son secret, mais le léger courant d'air provoqué par l'ouverture de la porte retourna le carton, révélant le message écrit au verso. Incapable de le déchiffrer, Muna crut que c'était le Diable qui l'avait écrit. Avait-elle besoin d'une autre preuve que le rire caverneux qui s'éleva quand le morceau de carton se souleva et se retourna ?

Cette chambre forte a été conçue et construite en 1983 par Joseph Baumgarten. La porte dérobée brevetée est une structure d'alliage d'aluminium renforcé couverte d'un revêtement de pierres naturelles, montée sur des charnières en porte-à-faux, avec des contrepoids et un loquet que l'on peut actionner d'un seul doigt. Pour un fonctionnement optimal, l'entretien devrait inclure le graissage régulier de ces mécanismes. Le fabricant garantit toutes les pièces détachées pendant dix ans, mais ne peut être tenu pour responsable des atteintes à la sécurité dues à la négligence ou à l'indiscrétion. Il n'y a pas de verrou. L'efficacité d'une chambre forte dérobée repose sur le silence.

Elle prit le marteau qu'elle avait laissé sur la marche du bas.

Il vaudrait mieux que vous entriez de votre plein gré, Princesse. Autrement, je serai obligée d'utiliser cet instrument pour vous y obliger.

Yetunde secoua la tête.

Vous allez souffrir atrocement, Princesse. Et même si le scotch et les croûtes de vos lèvres cèdent et que des cris vous échappent, le Maître et Olubayo ne vous entendront pas. Leur sommeil n'est pas naturel. Il n'est pas dû à la fatigue mais à l'absorption de comprimés.

Elle coupa le lien qui maintenait le poignet droit de Yetunde et la main tomba au sol dans un bruit mat, puis elle posa la tête métallique du marteau sur l'os saillant et la fit osciller d'un côté à l'autre. Yetunde émit des gémissements et des grognements étouffés.

J'aimerais vous entendre crier, Princesse. Tous les soirs, avant de m'endormir, je rêve de vous entendre me supplier. Mes songes sont heureux – remplis de sang – et à mon réveil je me sens mieux. Voulez-vous mourir, Princesse ?

Elle trancha les liens qui tenaient l'autre poignet et brandit le marteau, s'apprêtant à frapper, mais Yetunde avait déjà entrepris de déplacer laborieusement son corps obèse vers la porte ouverte de la seconde cave.

13.

Ebuka n'attendit pas quarante-huit heures avant de commencer à s'inquiéter du départ de Yetunde. Muna le reprochait à la sorcière blanche, la voisine, qui était venue sonner chez eux le surlendemain au matin. Elle était entrée sans y être invitée et avait regardé Ebuka avec étonnement quand il lui avait dit être sans nouvelles de Yetunde. Il avait expliqué que sa femme avait pris ses vêtements, sa valise et son passeport et avait certainement l'intention de rester absente un certain temps. La curiosité de Mme Hughes n'avait alors plus connu de bornes.

Était-il normal que Mme Songoli s'absente sans prévenir ? Avait-elle déjà fait cela ? Et comment avait-elle pu partir aussi rapidement ? Moins d'une heure s'était écoulée entre le moment où Mme Hughes avait bavardé avec Ebuka à la grille et celui où elle avait trouvé Muna évanouie. Avaient-ils vu passer un taxi ? M. Songoli devrait au moins appeler les amies de Yetunde pour leur demander si elles ne savaient pas quelque chose. Et si elle avait eu un accident ?

Supportant mal d'être mis sur la sellette par quelqu'un qu'il connaissait à peine, Ebuka répondit sèchement et Muna remarqua que son hostilité éveillait les soupçons de Mme Hughes. Elle intervint alors pour donner elle-même des explications. Mamma menaçait toujours de partir quand elle était fâchée... C'est pour ça qu'elle gardait sa valise dans le placard... Ils avaient vu passer plusieurs taxis pendant qu'ils étaient sortis, mais n'avaient pas pensé à regarder à l'intérieur... C'était une excellente idée de parler à ses amies... Elle persuaderait son père de les appeler dès que Mme Hughes serait partie.

Mme Hughes parut convaincue, mais ses regards fureteurs n'échappèrent pas à Muna. De temps en temps, elle levait les yeux vers l'escalier, inclinant la tête comme si elle entendait du bruit.

— Elle est bien cruelle de vous faire revivre le traumatisme de l'enlèvement d'Abiola, murmura-t-elle. Je me demande pourquoi elle tient tant à ce que vous ne sachiez pas où elle est allée.

— Je crois que Mamma veut punir Papa, madame, chuchota Muna timidement. Elle a été très contrariée quand il m'a demandé d'enfiler l'anorak et les bottes d'Abiola pour pouvoir le conduire dehors. J'ai commencé par refuser, mais Papa a insisté et ça l'a fâchée. J'ai l'impression qu'elle lui en veut de ne pas penser assez souvent à Abiola.

Peut-être Ebuka lui donnait-il raison, car il haussa les épaules avec lassitude.

— Je ne pense pas assez à lui, c'est vrai. Les jours passent et personne ne prononce jamais son nom. J'aurais dû comprendre combien sa disparition a affecté Yetunde, mais j'ai dû mobiliser toute mon énergie pour faire face à cette terrible infirmité. – Il donna une tape sur ses jambes inutiles. – Je ne l'ai pas traitée avec suffisamment d'égards.

Mme Hughes s'approcha de la porte du salon et parcourut la pièce du regard d'un air songeur.

— Elle n'a pas pu appeler un taxi avec ce téléphone, observa-t-elle en pointant le menton vers le combiné. Muna l'avait pris avec elle dans le jardin. Je n'ai pas très bien compris pourquoi sur le moment.

— Je l'ai pris pour éviter qu'elle le casse parce que Papa avait menacé d'avertir la police, madame. Mamma détruit les objets quand elle est en colère. Elle croit que ça fera comprendre à Papa combien elle est contrariée.

— Est-ce aussi pour cela qu'elle ne lui dit pas où elle est partie et qu'elle le laisse s'inquiéter comme ça ?

Muna acquiesça.

— Elle prétend que, s'il l'aime, il saura la retrouver. Je vais l'aider à la chercher maintenant. Nous allons appeler les amies de Mamma ensemble.

La femme leva inopinément la main et caressa la joue de Muna.

— Elle ne devrait pas t'imposer toutes ces responsabilités, Muna. Tu es trop jeune pour ça.

— J'aime bien m'occuper de Papa, madame, et je sais tout ce qu'il faut faire. – Elle ouvrit la porte d'entrée. – Mamma va bientôt rentrer, je lui dirai combien vous avez été gentille pour nous. Elle sera sûrement heureuse que vous soyez son amie.

Ebuka était moins facile à abuser. Une fois le germe du doute planté dans son esprit, il crût et se multiplia. Comment Yetunde avait-elle effectivement pu partir aussi vite ? Ils savaient l'un comme l'autre qu'elle ne pouvait pas avoir appelé de taxi, puisque Muna avait pris son portable et le combiné de la ligne fixe. Comment avait-elle fait alors ? Elle était partie à pied, traînant sa valise derrière elle ? Impossible. Yetunde n'allait jamais nulle part à pied. Et comment n'avait-il pas relevé la similitude entre la disparition de sa femme et celle de son fils ? Quelle était la probabilité que deux membres d'une même famille s'évaporent en l'espace de quelques mois, à moins d'avoir été enlevés par le même ravisseur ?

Muna lui apporta le portable de Yetunde, qu'il avait mis à recharger dans sa chambre.

Je ne sais pas, Maître, mais les numéros des amies de la Princesse doivent être là-dedans. Je crois que vous devriez faire ce que la Blanche a dit et les appeler. Il me semble que la Princesse attendait une amie quand elle s'est mise en colère contre vous.

Qu'est-ce qui te fait penser ça ?

Elle avait mis sa plus belle robe et pris son sac à main le plus cher, Maître. Elle ne faisait ça que quand elle avait l'intention de sortir.

Ebuka fronça les sourcils, cherchant à se rappeler comment Yetunde était vêtue, mais Muna savait que, même s'il s'en souvenait, il ne saurait pas s'il s'agissait de sa « plus belle » robe et de son sac « le plus cher ».

Qu'est-ce que tu veux dire ? Qu'elle avait l'intention de sortir de toute façon... et que par hasard son amie est arrivée pendant notre absence ?

Je ne sais pas, Maître. Je ne peux vous dire que ce que j'ai vu.

Ebuka lui jeta un regard méfiant.

Tu réponds bien vite à toutes les questions. Je me demande si tu dis la vérité. Tu as menti à Mme Hughes en prétendant que Yetunde avait menacé de casser le combiné si j'appelais la police.

Muna se détourna.

Vous aviez perdu connaissance, Maître. La Princesse a dit beaucoup de choses que vous n'avez pas entendues.

Où vas-tu ?

À la cuisine. Vous n'êtes pas gentil de vous fâcher contre moi. Ce n'est pas ma faute si quelqu'un a emmené la Princesse.

Elle ferma la porte pour ne plus le voir, mais colla l'oreille au panneau afin d'écouter les quelques appels qu'il passa. Comme il avait trop honte d'avouer que sa femme l'avait quitté après une scène de ménage, il se contenta de demander si Yetunde était là. Toutes les réponses furent négatives, mais les amies ne manquèrent pas de poser des questions, curieuses de savoir pourquoi il pensait que sa femme aurait pu être chez elles. Les conversations devenant de plus en plus gênantes, il renonça et fit rouler son fauteuil jusqu'au salon.

Peu après, Muna entendit le son de la télévision et songea qu'elle avait bien fait de le pousser à parler aux amies de Yetunde. Il hésiterait à recommencer. Il détestait trop les femmes pour leur donner des raisons de se moquer de lui.

Muna n'aurait jamais imaginé qu'elle pourrait regretter de s'être débarrassée de Yetunde. En vérité, elle n'aurait jamais cru possible de faire disparaître avec une telle facilité une femme aussi énorme et aussi répugnante. S'il lui était arrivé d'imaginer l'avenir, elle avait simplement pensé que la vie serait plus agréable si la Princesse apprenait à la craindre.

Ce n'était que depuis que Yetunde n'était plus là que Muna comprenait à quel point elle était indispensable. Elle voyait s'accumuler les problèmes imprévus et insolubles. Elle avait trouvé Yetunde paresseuse, mais apparemment elle en faisait davantage que Muna n'en avait conscience.

Les placards et le réfrigérateur étaient presque vides. Il ne restait plus de lessive pour les vêtements et les draps, plus de gants jetables pour manipuler le cathéter d'Ebuka et éviter l'infection, plus de liquide pour nettoyer et stériliser les poches. Et Muna ne savait pas où acheter ces produits. Ils n'avaient jamais manqué de rien tant que Yetunde avait été là. Les provisions arrivaient toutes les semaines, mais Muna ignorait comment Yetunde les commandait et les payait. Elle n'avait jamais vu qui les livrait. Si elle était en bas, on l'envoyait à la cuisine ; si elle était à l'étage, la seule chose qu'elle distinguait par la fenêtre était le toit et les flancs d'une camionnette blanche.

Toutes les marchandises étaient déposées dans l'entrée, emballées dans des sacs en plastique ornés de lettres rouges et bleues. Ces inscriptions ne disaient rien à Muna car elle était incapable de les déchiffrer, mais elle devinait qu'il devait s'agir du nom d'un magasin. Avant la disparition d'Abiola, cela n'avait aucune importance. Tant que les sacs en plastique arrivaient, elle pouvait préparer les repas que Yetunde lui réclamait ; sans eux, elle était impuissante.

Elle se rappelait la terreur qu'elle avait éprouvée en ouvrant les placards et en les découvrant vides le jour où les policiers étaient repartis. Yetunde se mettrait déjà dans une colère noire quand, rentrant de l'hôpital avec Olubayo, elle découvrirait Ebuka mort dans la cave, mais elle serait hors d'elle si Muna lui annonçait qu'il n'y avait rien à manger. Les fureurs de la Princesse étaient toujours plus violentes quand elle avait faim.

Pour une fois, les craintes de Muna avaient été infondées. Ce répit avait apparemment été dû au nouveau portable que Yetunde s'était acheté en revenant en taxi. Cet appareil l'intéressait visiblement plus qu'Ebuka, qu'elle avait refusé d'accompagner à l'hôpital sous prétexte qu'elle ne pouvait pas abandonner son fils, dont on venait de découvrir l'épilepsie. Elle était restée sur le seuil jusqu'à ce que l'ambulance se fût éloignée ; puis, loin des regards, elle s'était installée confortablement dans un fauteuil et avait accordé toute son attention à son nouveau jouet. Quelques heures plus tard, des sacs en plastique avaient refait leur apparition dans l'entrée.

Muna avait demandé à Olubayo s'il était possible d'acheter à manger en tapotant sur un tout petit écran, mais il lui avait répondu qu'elle était trop bête pour comprendre. Elle ne savait ni lire, ni écrire, ni reconnaître les chiffres. *Tu n'as qu'à penser que c'est magique*, lui avait-il dit.

Elle n'avait plus posé la question. Elle n'avait pas intérêt à laisser Olubayo se croire supérieur à elle. Son père étant absent et sa mère ne s'intéressant qu'à Jeremy Broadstone, il avait reporté son attention sur Muna. Combien de fois n'avait-elle pas levé les yeux pour découvrir son regard concupiscent posé sur elle ? Quand elle avait dissimulé des armes dans la maison, c'était autant pour se défendre d'Olubayo que de Yetunde.

Mais à présent, son ignorance la mettait en difficulté. Ebuka ne savait rien de ce qui concernait les repas et leur préparation. Il avait dit et répété que le rôle d'une femme était de faire la cuisine et le ménage, et elle doutait qu'il ait l'envie ou la patience de l'écouter si elle lui dictait la liste des articles dont elle avait besoin. Sans doute ne saurait-il même pas comment ni où les acheter si elle parvenait à le persuader de dresser cette liste. Et puis elle préférait ne pas lui rappeler l'utilité de la Princesse. Il risquait de mobiliser plus d'énergie pour essayer de la retrouver.

Mme Hughes fut étonnée de découvrir Muna sur son seuil. Elle la prit par la main et la fit entrer, lui reprochant d'être sortie avec une robe aussi légère et des chaussures de toile.

— Ton père sait que tu es ici ? demanda-t-elle en la conduisant au salon.

— Non, madame. Je n'ai pas voulu l'ennuyer. J'ai attendu qu'il s'endorme devant la télé.

Elle parcourut la pièce du regard, s'étonnant de la trouver aussi différente de celle qu'elle connaissait. Blanc et immaculé, le salon de Yetunde ressemblait aux photos que l'on pouvait voir dans les revues posées sur la table basse. Celui de Mme Hughes était encombré et mal tenu. Le canapé et les sièges étaient vieux et fanés, une moquette élimée recouvrait le sol et le moindre centimètre des murs bleu foncé était encombré de peintures. Elle se demanda si tous les Blancs vivaient dans une telle saleté.

Son expression n'échappa pas à Mme Hugues.

— Tu n'aimes pas les tableaux, Muna, observa-t-elle en souriant.

— Je ne sais pas, madame. Nous n'en avons pas chez nous.

— J'ai pourtant vu une photo de ta mère dans l'entrée.

— C'est la seule, madame. Les autres sont dans un livre que Mamma range dans un tiroir.

Elle avait trouvé le courage de feuilleter cet album bien longtemps auparavant, un jour où Yetunde était sortie. Si Yetunde était vraiment sa tante, elle y trouverait peut-être des photos de sa mère, et même d'elle bébé. Elle avait été déçue. Tous les visages ressemblaient à celui de Yetunde, aucun au sien.

Mme Hughes lui désigna une chaise.

— Assieds-toi et dis-moi ce que je peux faire pour toi. Mais d'abord, explique-moi pourquoi tu penses que ton père serait ennuyé de te savoir ici.

Muna s'assit du bout des fesses.

— Il ne serait pas content que je sois venue vous dire que nous n'avons plus rien à manger, madame. Il a honte que Mamma soit partie… mais il a encore plus honte de ne pas savoir comment faire venir la camionnette blanche.

— Quelle camionnette blanche ?

— Je ne sais pas, madame. – Elle étala un sac en plastique sur ses genoux. – La nourriture arrive là-dedans. Je pense que les lettres rouges et bleues indiquent le nom d'un magasin.

— C'est une chaîne de supermarchés, en effet. Je suppose que ta mère commandait ce dont elle avait besoin sur Internet.

Muna sortit le smartphone de Yetunde de sa poche.

— Elle se servait de ça, madame. Il faudrait simplement que vous m'expliquiez comment elle faisait pour que je puisse montrer à Papa.

Elle dévisagea attentivement Mme Hughes, craignant qu'elle ne s'étonne que Muna soit en possession du portable de Yetunde. Elle l'avait pris sur les genoux d'Ebuka pendant qu'il dormait avant de rejoindre la porte d'entrée sur la pointe des pieds, le cœur battant. Elle avait tant de raisons d'avoir peur – les questions du Maître s'il découvrait qu'elle était sortie, les questions de cette Blanche qui voudrait savoir pourquoi la Princesse avait laissé son téléphone en partant –, mais son désir d'apprendre et d'acquérir le pouvoir de Yetunde l'avait emporté.

Si Mme Hugues se posa des questions, elle n'en dit rien, son seul commentaire étant que Mme Songoli était bien imprudente de ne pas avoir de code de sécurité. Elle invita Muna à s'asseoir sur le canapé à côté d'elle, prit l'index de la fille entre ses doigts et lui montra comment allumer le smartphone, reconnaître les icônes du menu et les faire défiler sur l'écran jusqu'à trouver celle qu'elle voulait. Muna choisit l'application qui ressemblait à l'inscription du sac en plastique.

— Et maintenant, madame ?

— Il te faut le mot de passe de ta mère.

— Qu'est-ce que c'est, madame ?

— Une série de lettres ou de chiffres. Il y a des gens qui prennent leur date de naissance parce que c'est facile à retenir.

— Je connais celle de Mamma, madame. C'est son anniversaire chaque fois que l'année se termine. Elle regarde les feux d'artifice à la télévision et dit qu'on les tire pour elle.

— Le 31 décembre.

— Ça doit être ça, madame.

— Quel âge a-t-elle ?

— Elle a la terrible quarantaine. Je ne sais pas ce que ça veut dire, mais ça ne lui plaît pas.

Mme Hughes sourit.

— Ça veut dire qu'elle est née le dernier jour de décembre, il y a quarante ans… autrement dit, le 31/12/1973. Veux-tu que j'essaie ou préfères-tu demander à ton père de le faire quand tu rentreras ? Nous n'avons droit qu'à deux erreurs.

— Papa ne saura pas le faire, madame. J'aimerais mieux que vous essayiez.

Muna perçut un certain malaise sur le visage de Mme Hughes quand le mot de passe fut validé. Sans doute n'avait-elle accepté d'essayer que parce qu'elle pensait que ça ne marcherait pas. Elle aida tout de même Muna à retrouver les précédentes commandes de Yetunde, à remplir son panier, à choisir un jour et une heure de livraison et à vérifier sa commande. Elle eut même la patience de rafraîchir l'écran et de proposer à Muna de recommencer elle-même toute la procédure.

Son malaise s'aggrava visiblement quand l'index agile de Muna franchit toutes les étapes sans la moindre erreur et tapa les chiffres exacts du mot de passe après avoir sélectionné l'application.

— Tu sais lire les chiffres ?

— Non, madame, mais j'ai retenu dans quel ordre vous avez appuyé sur les petits carrés.

— Tu es très douée, Muna. Je m'étonne que ta mère ne t'ait pas appris à faire ça.

Muna ralentit son doigt.

— Elle a essayé, madame, mais je faisais des fautes, alors elle s'est énervée. En vous regardant, je me suis rappelé comment elle faisait.

— Elle n'a jamais voulu t'apprendre à lire ?

— Si, madame, quand j'étais plus petite. Mais c'était difficile et je n'y arrivais pas. Les médecins disent que c'est parce que j'ai le cerveau abîmé.

Mme Hughes laissa le silence retomber pendant que Muna poursuivait jusqu'à la confirmation de sa commande, avant de relever la tête, un éclair de triomphe dans les yeux.

— Très bien. Maintenant, ton père n'aura plus qu'à vérifier que la commande est correcte et à entrer le numéro de sa carte bancaire.

— Il ne saura pas le faire, madame. Il ne commande jamais rien comme ça. Il dit que c'est à la femme d'acheter ce dont son mari a besoin.

Mme Hughes la fixa des yeux un moment.

— Il est fâché contre toi parce qu'il n'y a plus rien à manger chez vous ?

— Non, madame. Il ne le sait pas. Je ne le lui ai pas dit.

— Pourquoi ?

— Parce qu'il ne peut rien faire pour remplir les étagères et que je n'aime pas le voir pleurer. Il est si triste depuis son accident. Mamma n'arrête pas de lui dire qu'il n'est plus un homme… alors il la croit.

Mme Hughes attrapa un portefeuille posé sur l'assise d'un fauteuil à côté d'elle. Elle l'ouvrit et en sortit un petit rectangle de plastique.

— Je vais te montrer comment on fait, Muna, mais en échange, je veux que tu me répondes franchement.

— À quel sujet, madame ?

— Je voudrais bien savoir pourquoi ton père et toi, vous prétendez que ton cerveau est endommagé alors que ce n'est manifestement pas vrai. Tu peux préparer ta réponse pendant que je te montre quels nombres il faut entrer dans la machine. – Elle fit glisser le doigt de Muna sur les chiffres en relief au recto de la carte. – Voilà les chiffres dont tu as besoin. Tu dois les chercher sur le clavier. Même si tu ne sais pas leurs noms, tu les retrouveras en observant leur forme.

Elle attendit que Muna ait tapé successivement les seize chiffres sur le clavier du téléphone ; puis elle le lui reprit des mains et les effaça.

— Quand tu utiliseras la carte de ton père, veille à bien copier chaque forme, autrement ça ne marchera pas. Tu comprends ? Et je serais très fâchée de découvrir que tu as retenu mon numéro de carte.

Muna remit le téléphone dans sa poche.

— Je ne l'ai pas fait, madame. Maintenant, il faut que je retourne chez Papa.

— Tu n'as pas répondu à ma question, Muna.

— La vérité, c'est ce que nous vous avons dit, Papa et moi, madame, mais vous ne nous croyez pas. Préféreriez-vous que j'invente une autre histoire pour vous faire plaisir ?

Un sourire amusé éclaira le visage de Mme Hughes.

— Je suis certaine qu'elle serait très convaincante. – Elle prit le sac en plastique que Muna avait apporté. – Laisse-moi au moins te donner quelques provisions pour aujourd'hui. J'ai dans mon frigo quelques-uns des produits que ta mère commande habituellement.

— Je ne peux pas vous payer, madame.

— Je n'y comptais pas. Considère ça comme le cadeau d'une amie. – Elle se leva et baissa les yeux vers Muna. – Tu as besoin d'une amie, Muna, non ?

Muna baissa la tête d'un air de feinte gratitude, mais son cœur palpitait d'inquiétude. Sa première impression de Mme Hughes avait été la bonne. La sorcière blanche était aussi perspicace et futée qu'elle.

14.

Le poulet rôti au riz épicé et aux haricots blancs que Muna lui avait servi au déjeuner avait eu raison de la mauvaise humeur matinale d'Ebuka. Ce plat avait toujours été son préféré, car il lui rappelait les repas que préparait sa mère. Le départ précipité de Yetunde lui inspirait encore des interrogations, mais ne voyant pas comment quelqu'un aurait pu l'emmener contre sa volonté – la seule masse de son imposante épouse l'en aurait empêché –, il se rangea à l'opinion de Muna.

J'imagine bien la Princesse sortant en trombe de la maison avec une personne qu'elle connaît et lui demandant de la déposer à un hôtel. Si elle n'est pas rentrée demain, j'essaierai de joindre la société de cartes bancaires pour savoir où elle est descendue.

Muna lui faisait faire ses exercices, repliant son genou gauche au-dessus de son propre bras et manipulant son pied.

Comment la société le saura-t-elle, Maître ?

Sa carte le dira. Elle ne peut pas prendre une chambre d'hôtel sans carte.

Ça fait quoi d'autre, une carte, Maître ? Est-ce que c'est comme un smartphone et comme les caméras dans la rue, qui prennent des photographies ? Est-ce que ça peut savoir où sont les gens ?

Seulement s'ils sont à l'hôtel. Autrement, la carte indique où ils ont fait des achats. Si je découvre que la Princesse dépense des fortunes, je ferai opposition. Nous la verrons revenir ventre à terre dès qu'elle n'aura plus d'argent.

Peut-être qu'elle préfère ne pas utiliser sa carte pour que vous ne sachiez pas où elle est, Maître. Et alors, qu'est-ce que vous pouvez faire ?

Prévenir la police, répondit Ebuka en utilisant le palan pour s'asseoir. *Ça voudra dire qu'il lui est arrivé quelque chose.*

Muna dirigea le faisceau de la torche vers le visage de Yetunde. Cette fois, elle était morte, cela ne faisait aucun doute. Elle avait la tête renversée contre le mur comme si elle étirait son cou dans un dernier effort pour respirer, mais ses yeux mi-clos étaient vitreux et laiteux. Une fois la porte close, il n'y avait pas d'air dans la deuxième cave. Muna le savait parce qu'elle s'y était enfermée tout au début. L'idée de mourir de faim ne lui faisait pas peur – Yetunde lui donnait si peu à manger, de toute façon –, mais la panique qui l'avait envahie quand elle s'était sentie étouffer l'avait persuadée que mieux valait encore continuer à vivre.

Elle déplaça le faisceau jusqu'à l'endroit où Abiola était allongé. Elle avait montré son fils à Yetunde avant de la plonger dans les ténèbres en refermant la porte étanche. Elle prenait plaisir à penser qu'au moment de mourir, Yetunde avait compris que Muna était plus intelligente que les policiers. Avait-elle pleuré sur Abiola ou seulement sur elle-même ?

Le garçon n'avait presque pas changé. Muna s'attendait à trouver un squelette aux os blanchis, comme ceux des animaux qu'elle avait vus dans son enfance. Des cadavres de chiens et de chats renversés gisant sur la route devant la cour de l'école, renversés par des voitures, avant que les oiseaux ne nettoient leurs carcasses. Elle pensait que la mort était toujours pareille.

Mais Abiola était toujours vêtu de son uniforme scolaire et son visage était plutôt agréable à regarder. En vérité, Muna le trouvait plus joli mort que vivant. Il était plus mince, plus mignon. Il ressemblait davantage au petit garçon innocent de quatre ans qu'il était avant que Yetunde ne lui apprenne que l'on pouvait battre et donner des coups de pied à Muna pour la moindre vétille. Il y avait eu une période – relativement brève – où Muna avait eu envie d'aimer Abiola parce qu'elle avait terriblement besoin de manifester et de recevoir de l'affection, mais il avait appris bien trop vite qu'elle n'était qu'une créature insignifiante et il l'avait traitée avec autant de cruauté que sa mère.

Yetunde s'était amusée de ses simagrées jusqu'à ce que ses crises de colère se retournent contre elle. Il était alors trop tard. Abiola était devenu incontrôlable, et le seul moyen de le calmer avait été de le bourrer de bonbons et de friandises. Ce qui n'avait fait qu'aggraver les choses. Plus il grossissait, plus il devenait monstrueux et exigeant, se délectant de la souffrance qu'infligeaient ses poings massifs et ses pieds pesants.

À force d'être punie parce qu'Abiola avait volé de la nourriture, d'être obligée de nettoyer quotidiennement ses draps et ses sous-vêtements souillés, Muna s'était prise de haine envers lui. Et c'était avec une immense satisfaction qu'elle l'avait attiré dans cette chambre forte et l'avait laissé mourir. Le Diable avait éclaté de rire quand la porte s'était refermée, étouffant ses cris de rage et de peur.

C'était sa faute, après tout. S'il était allé en classe comme il l'aurait dû, rien de tout cela ne serait arrivé. Mais il était revenu s'introduire subrepticement dans la maison après le départ de sa mère et Muna l'avait trouvé en train de s'empiffrer de la mousse au chocolat que Yetunde lui avait ordonné de préparer pour le dîner, enfonçant ses doigts dans le dessert avant de les fourrer dans sa bouche.

Je dirai à Mamma que c'est toi qui l'as mangée, avait-il lancé. *Elle me croit toujours, tu sais bien.*

Elle ne sera pas contente que tu ne sois pas allé à l'école le jour où elle est sortie, avait répondu Muna en posant ses draps maculés à côté de la machine à laver.

Je lui dirai que j'étais malade. – Il avait laissé tomber la jatte dans l'évier et avait ouvert les placards. – *Où sont les chips au sel et au vinaigre ? Je te battrai si tu ne me le dis pas. Je sais que tu les caches pour ne pas être punie quand il n'y en a plus assez pour Mamma.*

Muna avait vu les traces poisseuses que ses doigts couverts de chocolat laissaient sur les poignées et songé au temps et aux efforts qu'il lui faudrait pour tout nettoyer avant le retour de Yetunde.

Elle avait baissé les yeux, feignant la peur, et parlé tout bas, d'une voix étranglée de larmes :

Je les garde à la cave, Maître Abiola. Il y a un placard que je suis seule à connaître. J'y cache tes aliments préférés pour que tu ne puisses pas les voler et m'attirer des ennuis.

Qu'il était bête ! Il se croyait supérieur parce qu'elle l'appelait Maître et n'avait pas douté un instant que ce qu'elle disait fût vrai. Il avait suivi Muna dans l'entrée en se dandinant, avait descendu l'escalier derrière elle, avait piétiné son matelas. Sans ampoule électrique, il ne voyait pas aussi bien que Muna, mais il faisait suffisamment clair dans l'entrée pour qu'il remarque qu'elle glissait la main derrière le casier métallique pour ouvrir la porte d'une seconde chambre. La surprise lui avait coupé le souffle.

Muna s'était laissée tomber à genoux.

Sois gentil, Maître, je t'en supplie, avait-elle imploré en tendant les mains vers lui. *La Princesse me donne si peu à manger que je mourrai si tu voles tout ce qu'il y a là-dedans.*

Abiola s'était avancé, les yeux brillants de curiosité.

Tu devrais me supplier de ne pas parler de ce placard à Mamma. Tu n'as pas le droit d'avoir de secrets.

Muna était presque sûre que le Diable avait tendu le bras pour entraîner Abiola dans la seconde cave, mais il lui était arrivé une ou deux fois depuis d'être envahie par des souvenirs fulgurants où elle se voyait lui sauter sur le dos et lui enfoncer les doigts dans les yeux pour le précipiter, titubant, dans les ténèbres. Elle ne doutait pas un instant, en revanche, de la réalité du rire grave, rauque, qui avait résonné ensuite à ses oreilles.

Après avoir lavé les draps souillés, nettoyé la cuisine et préparé une nouvelle mousse au chocolat pour Yetunde, elle avait pris la badine et était allée chercher la boîte à déjeuner d'Abiola et son cartable qu'il avait posés sur le buffet de l'entrée. Elle n'avait pas besoin de lampe de poche. Elle y voyait suffisamment dans le noir et le frapperait s'il cherchait à l'attaquer. Mais il était mort. Et Muna était contente.

Il était toujours allongé comme ce jour-là, entièrement vêtu et roulé en boule, les yeux fermés, le pouce dans la bouche, avec, à côté de lui, sa boîte à déjeuner et son cartable. Tel qu'il était là, songea Muna, elle n'aurait pas de mal à l'aimer. Yetunde aussi ; elle avait l'air gentille et maternelle, adossée à sa valise, la main droite tendue vers le fils qu'elle avait perdu.

Il n'y avait aucune odeur dans l'air, pas même celle de l'urine qui avait imprégné la jupe de Yetunde. Muna se demanda si c'était pour cela que le Diable avait construit cette chambre fraîche, étanche – pour conserver intacts les corps de ses ennemis afin qu'elle pût s'en délecter. Elle braqua la torche à l'intérieur du sac à main de Yetunde pour trouver son portefeuille et en sortir la carte de crédit. Puis, aussi précautionneusement qu'à chacune de ses visites, elle referma la porte et s'éloigna sur la pointe des pieds, à reculons, prenant la précaution de recouvrir de poussière, à l'aide d'une balayette à poils doux, les traces de pas qui auraient pu révéler qu'elle était passée de l'autre côté d'un mur.

Ce soir-là, elle s'accroupit dans l'angle de sa chambre, contemplant le smartphone de Yetunde et les deux petits rectangles de plastique posés sur la moquette devant elle. Elle avait pris le portable et la carte de crédit d'Ebuka dès qu'il avait été endormi, mais elle hésitait encore : valait-il mieux utiliser son numéro ou celui de Yetunde pour acheter des provisions ? Le pouvoir de ces minuscules objets inanimés la plongeait dans un abîme de perplexité.

Ce dilemme lui aurait été épargné si Ebuka n'avait pas bougé lorsqu'elle était revenue de chez Mme Hughes. Il avait ouvert les yeux au moment où, debout devant lui, elle le regardait fixement, et elle avait dû prétendre que le téléphone était tombé de ses genoux pendant qu'il somnolait. Elle s'était penchée comme pour le ramasser et avait dû renoncer à commander des provisions à ce moment-là en utilisant la carte qu'il rangeait dans son portefeuille à côté de son lit.

À présent, elle ne savait pas laquelle choisir. Ebuka avait dit qu'il saurait que Yetunde était en vie si elle dépensait de l'argent. Mais était-ce suffisant ? La carte de sa femme pourrait-elle apprendre autre chose à Ebuka ? Elle la ramassa et l'approcha de son visage, se demandant comment elle pouvait dire qu'elle appartenait à Yetunde. Où était sa voix ?

L'inexpressivité de Muna et son long apprentissage de la patience lui furent très utiles le lendemain. Ignorant quand la camionnette blanche passerait et n'étant même pas sûre d'avoir réussi à passer sa commande, elle tira le maximum des provisions que Mme Hughes lui avait données et écouta calmement les récriminations d'Ebuka.

Il était furieux et humilié parce que la société de cartes bancaires avait refusé de lui donner les informations qu'il réclamait. Devant l'insistance de Yetunde, il avait accepté autrefois qu'elle soit la titulaire principale de la carte de crédit afin qu'elle puisse intervenir directement en cas de piratage. Cela lui avait paru raisonnable sur le moment. Yetunde connaissait les habitudes d'achats d'Ebuka – il était extrêmement prévisible – et repérerait immédiatement la moindre transaction frauduleuse. L'inverse n'était pas vrai.

Muna pétrissait de la pâte pour faire des galettes avec la farine que Mme Hughes lui avait donnée.

Qu'est-ce que ça veut dire, tout ça, Maître ?

Yetunde ne m'a jamais donné son mot de passe. Elle est la seule à pouvoir savoir ce qu'elle fait de sa carte. Je paye les factures, mais je n'ai aucun droit de regard.

Ça vous fâche, Maître ?

Ebuka lui adressa un sourire acide.

Ça m'apprendra à garder le contrôle, la prochaine fois. Ils ont quand même accepté de me dire une chose, uniquement parce que je leur ai expliqué que je craignais que ma femme ait eu un accident. La dernière transaction qu'elle a faite date d'aujourd'hui, à deux heures ce matin.

C'est une bonne nouvelle, Maître ?

Ça veut dire qu'elle n'a pas perdu le goût de dépenser de l'argent… mais Dieu seul sait ce qu'elle a bien pu acheter en pleine nuit. Elle se couche toujours avant dix heures.

Elle regarde les chaînes de téléachat, Maître. Je l'ai vue acheter beaucoup de choses à la télévision quand elle n'est pas contente.

Je pense plutôt qu'elle est avec sa sœur et qu'à elles deux, elles sont en train de vider mon compte. Quand Yetunde est dans cet état d'esprit, rien ne l'arrête. Elle ne cessera que quand elle aura atteint le plafond autorisé… ou dès que je ferai opposition.

Muna hocha la tête comme si elle comprenait.

Oui, Maître.

Ebuka marmonna qu'il n'avait jamais été bon qu'à régler les factures et qu'il était grand temps que Yetunde comprenne que ce temps-là était révolu. L'arrivée de l'infirmière fit diversion. Elle apprit avec satisfaction qu'il était allé faire un tour dans High Street avec sa fille mais fit la grimace en constatant qu'il n'y avait presque plus de gants jetables ni de tampons de coton. M. Songoli aurait dû profiter de cette sortie pour acheter ce qu'il lui fallait. Elle laissa un peu de matériel à Muna pour la dépanner mais rappela à Ebuka que l'hygiène et la propreté étaient de sa responsabilité. L'absence de sa femme pour quelques jours n'était pas une excuse. Il y avait plusieurs pharmacies à proximité, et cela lui ferait le plus grand bien de sortir faire ces achats lui-même.

Ebuka fit semblant d'approuver. Muna l'emmènerait plus tard, dit-il. Mais l'infirmière secoua la tête : Muna devait encourager son père à aller faire ce petit tour tout seul. Surmonter son handicap ne se limitait pas à des questions d'escarres et de cathéters ; il devait absolument prendre confiance en lui. Ebuka lui montra avec quelle facilité il était désormais capable de passer de son lit à son fauteuil, et elle l'exhorta à consolider cette indépendance retrouvée. Il ne pourrait pas compter éternellement sur sa femme et sur sa fille.

Un peu plus tard, Muna apporta la veste et les gants d'Ebuka au salon et lui conseilla d'obéir à l'infirmière. Elle formula son invitation dans les mêmes termes que celle-ci – le Maître prendrait confiance en lui s'il sortait seul –, mais ses motifs étaient purement égoïstes. Si Ebuka n'était pas là, elle n'aurait pas à inventer d'explications quand la camionnette blanche arriverait. Au besoin, elle trouverait un autre motif pour le faire sortir le lendemain.

S'il était tout naturel pour Ebuka qu'il y ait de quoi manger – il n'en avait jamais été autrement –, il ne manquerait pas de poser des questions en voyant arriver un homme chargé de sacs en plastique. Qui l'avait fait venir ? demanderait-il, et Muna craignait que le livreur ne réponde que la commande avait été passée avec le téléphone de Yetunde et payée avec sa carte. Chaque fois qu'elle réglait un problème, un autre surgissait.

Elle se montra trop insistante dans ses efforts pour convaincre Ebuka de sortir. Il l'accusa de le harceler et lui fit savoir qu'il se déciderait quand il le jugerait bon. Avec un léger haussement d'épaules, elle quitta la pièce, refermant la porte derrière elle, mais son cœur se durcissait contre lui. Elle avait fait tout ce qu'elle pouvait pour éviter de faire souffrir Ebuka, mais il n'aurait à s'en prendre qu'à lui-même si le Diable le punissait parce qu'il aggravait les soucis de la petite Muna.

15.

En rentrant de l'école, Olubayo s'arrêta sur le seuil de la cuisine et jeta à Muna des regards lubriques tandis qu'elle finissait de nettoyer une carcasse de poulet pour faire de la soupe. Il se frotta l'aine contre le montant de la porte, et Muna lui montra les dents en émettant un sifflement strident. Il fit celui qui ne remarquait rien. Il n'avait plus peur d'elle depuis que son père avait commencé à écouter ce qu'il avait à dire. S'il avait pu imaginer un jour qu'Ebuka avait tué Abiola ou que des démons rôdaient entre les murs de la cave, il n'y croyait plus.

Où est Papa ? demanda-t-il.

Muna le surveilla du coin de l'œil.

Le Maître est allé dans les magasins, comme l'infirmière lui a conseillé de le faire.

Il revient quand ?

Quand il aura trouvé ce qu'il lui faut.

Une lueur concupiscente brilla dans les yeux d'Olubayo. C'était la première fois qu'il était seul dans la maison avec Muna depuis la disparition d'Abiola. Il entra dans la cuisine en ouvrant sa braguette.

Je sais que tu en as envie. Demande-moi ce que tu veux. Dis que tu es une salope et une putain.

Muna avait entendu ces mots sortir de l'ordinateur du garçon. Ils n'avaient aucun sens pour elle. Elle attrapa une lourde casserole et la serra contre sa poitrine.

J'en ai rien à faire de toi. Je préférerais que tu ne sois pas là.

Il sortit son pénis.

Tu regretteras ces paroles quand je t'obligerai à avaler ça.

Muna regarda son sexe tumescent et sale, au gland luisant. Était-ce ça qu'Ebuka lui avait enfoncé dans la bouche ? De la bile lui monta à la gorge alors qu'elle abaissait la casserole contre sa hanche avant de la projeter en avant. Elle ne fut pas assez rapide. Olubayo se jeta sur elle, faisant tomber la casserole, et son poing la frappa à la tempe de tout son poids.

Muna s'effondra et se roula immédiatement en boule. Il tira sur ses vêtements, sur ses bras, sur ses cheveux, cherchant à la transformer en une poupée de chiffon docile, comme celles qui s'affichaient sur son écran d'ordinateur, mais les brutalités de Yetunde avaient appris à Muna qu'elle risquait moins en se faisant aussi petite que possible. Il grommelait en lui donnant des coups de pied, exprimant sa frustration par des grognements bestiaux, la traitant de putain de salope et d'allumeuse.

Elle eut l'impression qu'une éternité s'écoulait avant qu'Ebuka ne se porte à son secours. Il abattit la badine sur le dos de son fils puis le frappa au ventre quand Olubayo se retourna en poussant un hurlement de surprise. Mais Ebuka se trompait s'il pensait que son fils reconnaîtrait son autorité. Bouillant de rage, Olubayo attrapa la badine et menaça son père de le faire basculer de son fauteuil s'il ne le laissait pas tranquille.

Je suis comme toi, gronda-t-il en retroussant les babines. *Tu crois qu'Abiola et moi, on ne savait pas qu'elle te suçait chaque fois que tu en avais envie ? Tu crois que Mamma ne le savait pas ? Elle trouvait ça marrant. Elle dormait mieux quand elle t'avait donné la moricaude à baiser.*

Il éprouva un bref instant de triomphe quand il vit son père se recroqueviller pour lui échapper, mais son expression de jubilation malveillante se transforma en étonnement douloureux quand il sentit un objet acéré s'enfoncer dans le muscle de son bras droit. Il dévisagea son père, décontenancé, ne comprenant pas ce qui se passait, avant de lâcher la badine lorsque la lame se retira. Il recula, haletant sous le choc, et le deuxième coup rebondit sur ses côtes au lieu de s'enfoncer dans son flanc. Muna laissa tomber le petit couteau à éplucher japonais dans l'évier et en sortit un plus grand du bloc de bois posée sur le plan de travail. Elle l'examina un instant, comme si elle se demandait pourquoi elle l'avait en main ; puis, subitement, elle s'accroupit et se ramassa comme un chat avant de bondir sur Olubayo, ses lèvres retroussées découvrant ses dents.

Avec un cri d'alarme, Ebuka écarta son fils et brandit la badine.

Ça suffit ! cria-t-il. *Ne m'oblige pas à te frapper, Muna ! Olubayo regrette de t'avoir fait mal.*

Muna se figea. Elle entendit le faible écho du rire du Diable s'élever des entrailles de la terre.

Olubayo ne regrette jamais rien, Maître. Il m'a donné tellement de coups de pied que j'ai mal partout. Vous êtes le seul qui ait reconnu avoir eu tort de traiter la petite Muna avec une telle cruauté.

Ebuka regarda son fils.

Excuse-toi, ordonna-t-il. *Tu t'es mal conduit.*

Olubayo refusa.

Pourquoi la défends-tu ? protesta-t-il, furieux. *Elle m'a fait saigner.* – Il écarta la main de la plaie qu'il avait au bras et montra le sang qui maculait sa paume. – *Si tu te souciais de moi, tu l'enverrais à la cave et tu appellerais les flics.*

L'épilepsie t'a rendu débile ou quoi ? lui répondit Ebuka d'un ton méprisant. *Comment expliqueras-tu qu'elle t'ait attaqué ? Regarde-toi. Tu as la braguette ouverte et il y a des taches de sperme sur ton pantalon. Tu veux vraiment que tout le monde sache que tu as cherché à violer ta sœur ?*

Les joues du garçon s'assombrirent tandis qu'il se rajustait.

Ce n'est pas ma sœur... Ce n'est personne... *rien qu'une putain d'*esclave.

Dans ce cas, tu n'as qu'à appeler la police toi-même. Mais sois sûr qu'elle lui manifestera plus de compassion qu'à toi ou à moi. Nous irons en prison, alors qu'elle sera reçue dans un foyer accueillant. Es-tu trop bête pour comprendre ça ?

Olubayo tapa du pied.

Ce n'est pas moi qui l'ai volée. Je la déteste. *Je l'ai toujours détestée.* Abiola *la détestait. Tu lui donnes plus d'amour que tu ne nous en as jamais donné.*

Avec un soupir de découragement, Ebuka abaissa la badine.

Tu es aussi jaloux que ta mère. Ce qu'elle a fait nous a tous détruits. J'aurais dû renvoyer Muna à l'orphelinat dès que Yetunde l'a amenée chez nous – c'était mon intention –, mais je me suis laissé persuader que je ferais une bonne action en offrant un foyer à une enfant abandonnée.

Tu l'as gardée parce que tu la baisais, cria le garçon, agrippant à nouveau son bras. *Il faut croire qu'elle aussi, elle aimait ça, autrement elle t'aurait dénoncé aux flics.*

Ebuka secoua la tête, se remémorant le visage inflexible de Muna quand il l'avait suppliée de l'aider, au fond de la cave.

Sois heureux qu'elle ne l'ait pas fait. Tu aurais perdu tes parents si elle avait dit la vérité. C'est ce que tu veux ? Être aussi mal-aimé et indésirable qu'elle ? Tu arriveras facilement à tes fins si tu racontes en pleurnichant qu'une esclave t'a blessé alors que tu cherchais à la violer.

Des sentiments conflictuels crispèrent le visage d'Olubayo. Il voulait que Muna soit punie, mais ne voulait pas l'être lui-même, et elle lut dans ses yeux qu'il n'oublierait jamais la souffrance qu'elle lui avait infligée. Mais elle y lut aussi qu'il n'avait pas compris les propos de son père aussi clairement qu'elle.

Cet idiot me fait peur, Maître, dit-elle en se tournant vers Ebuka. *Il n'a aucune intelligence et s'imagine encore être plus puissant que moi grâce à sa taille et à sa force. Pourtant, je n'ai qu'à dire à la sorcière blanche que j'étais prisonnière de la Princesse pour que tous les Songoli soient condamnés.*

Tu ne le savais pas la première fois que les policiers sont venus ici ?

Non, Maître. J'avais peur qu'ils me fassent du mal. La Princesse m'avait appris à avoir peur des inconnus, surtout des Blancs.

Leur aurais-tu dit la vérité si tu n'avais pas eu peur d'eux ?

Je ne crois pas, Maître. Ma vie est plus agréable depuis que vous dites que je suis votre fille.

J'en suis heureux, Muna. Je ferai tout ce que je peux pour réparer le mal que t'a fait ma famille.

Elle le dévisagea de son regard grave.

Je ne veux pas qu'Olubayo soit mon frère, Maître. Je serais plus heureuse s'il n'était pas là.

Olubayo fit un pas en avant, les poings serrés de rage, mais Ebuka leva la badine pour le retenir.

Elle ne dit rien que tu n'aies pas dit, toi aussi, remarqua-t-il. *Comment peux-tu penser qu'elle te déteste moins que tu ne la détestes ? Et ne crois-tu pas que sa haine est bien plus justifiée que la tienne ? Tu t'es conduit comme une bête.*

Olubayo n'était pas sot au point de ne pas reconnaître l'hypocrisie quand il avait le nez dessus. Ses yeux se remplirent de larmes de colère.

Ce que j'ai voulu faire, tu l'as fait mille fois ! s'écria-t-il. *Tu ne vois pas qu'elle veut se débarrasser de moi pour t'avoir tout à elle ? Tu es le seul qu'elle aime.*

Une petite lueur de joie éclaira les yeux d'Ebuka quand il se tourna vers Muna et, avec un hurlement de chagrin, Olubayo quitta la pièce en courant.

Muna se remit à décortiquer la carcasse de poulet.

Vous devriez le suivre et nettoyer sa plaie, Maître. Autrement, il va appeler une ambulance et vous aurez des ennuis. Je prierai pour que sa colère et sa mauvaise humeur provoquent une crise qui lui fera oublier ce qui vient de se passer. Inutile de faire venir un médecin. Je sais ce qu'il faut faire parce que la Princesse me l'a montré.

Cette nuit-là, le rire du Diable ébranla le plancher sous le lit de Muna. Elle frissonna en sentant cette basse profonde gronder à travers toute la maison, jusque dans son matelas. Tout s'était passé comme elle l'avait espéré. Olubayo avait voulu attraper le téléphone et Ebuka l'avait frappé sur la tempe avant qu'il ait eu le temps de s'en servir. Le garçon était tombé par terre, pris de convulsions, la bouche pleine d'écume, et Muna s'était agenouillée à côté de lui, défaisant ses vêtements et le tournant sur le côté dès que la crise s'était atténuée.

Elle lui avait parlé gentiment en lui retirant la veste de son uniforme scolaire pour nettoyer et panser sa plaie, et quand il avait repris conscience, elle lui avait expliqué qu'il s'était blessé en tombant. Il l'avait crue, bien sûr. Il ne se souvenait de rien. Sur le conseil de Muna, Ebuka avait manifesté une vive inquiétude pour son fils, et Olubayo, ahuri et désorienté, avait regretté de leur causer un tel embarras et avait pleuré de gratitude, les remerciant de leur compassion et de leur compréhension.

Muna s'était réjouie des sourires qu'Ebuka adressait à Olubayo parce qu'elle les savait forcés. Il ne s'apitoierait jamais sur son fils malade. Tout ce que faisait Olubayo lui rappelait sa propre conduite. Pire, l'épilepsie du garçon l'humiliait, car il savait que les gènes Songoli en étaient responsables. Les coups que Muna avait reçus étaient bien plus violents et cela n'avait pas empêché ses pensées de conserver leur force et leur clarté.

Tu as une nature généreuse, lui dit Ebuka après qu'Olubayo fut allé se coucher. *Tu t'es montrée plus gentille avec lui qu'il ne le méritait.*

Il n'y peut rien, Maître. Il se conduit comme vous le lui avez appris, la Princesse et vous. Il ne peut pas faire autrement. C'était pareil pour Abiola.

Pourquoi n'es-tu pas comme eux ? Les leçons que tu as reçues étaient infiniment plus brutales.

J'ai appris que la haine et la cruauté n'aboutissent à rien, Maître.

La camionnette arriva le lendemain matin, à une heure où Muna était la seule levée. Le livreur déposa les sacs en plastique dans l'entrée et lui demanda d'aller chercher Mme Songoli pour qu'elle signe le reçu. Muna répondit que Mamma était malade et supplia l'homme de bien vouloir signer à sa place. Mamma serait très fâchée s'il remportait toutes ces provisions. Ayant essuyé plusieurs fois le mécontentement de Yetunde quand des articles commandés avaient été oubliés ou étaient de second choix, il accepta.

Après avoir tout rangé dans les placards et dans le réfrigérateur, Muna prépara le petit déjeuner d'Ebuka et le lui apporta sur un plateau. Elle lui annonça qu'Olubayo dormait encore. Elle ne voulait pas le réveiller : le garçon n'était jamais de bonne humeur le matin. Et puis il valait mieux qu'il reste une journée à la maison pour qu'elle puisse repriser l'accroc à la manche de son blazer et laver les taches de sang.

Ebuka frotta ses yeux embués de sommeil et lui dit d'agir à sa guise. Pour sa part, il ne supportait plus son fils.

16.

Pendant que Muna l'aidait à s'habiller, Ebuka lui déclara qu'il avait l'intention d'aller à la pharmacie acheter les produits dont il avait besoin. Elle secoua la tête.

Non, Maître, vous ne pouvez pas faire ça. Il faut attendre demain, qu'Olubayo soit retourné à l'école. Si je reste seule avec lui, il va de nouveau m'agresser.

Tu n'aurais pas dû lui mentir hier. Tu savais très bien que j'étais là.

Je voulais vous faire comprendre comment il est, Maître. J'étais sûre qu'il s'en prendrait à moi s'il croyait que vous étiez allé faire des courses.

Il avait déjà fait ça ?

Une seule fois, Maître. Mais il avait trop peur de la Princesse pour réessayer. Elle l'avait jeté par terre quand elle l'avait surpris à la cuisine avec sa braguette ouverte. Elle a dit que c'était ma faute, que je l'encourageais... et elle m'a battue aussi.

Ebuka l'observa attentivement.

La Princesse avait-elle raison ? As-tu fait quelque chose qui ait pu faire croire à Olubayo que tu l'aimais de cette façon-là ?

De quelle façon, Maître ?

Lui as-tu donné l'impression que tu avais envie qu'il t'embrasse ou qu'il te touche ?

Muna lui rendit son regard, sans ciller.

Vous savez bien que non, Maître. J'ai peur quand on me touche. Chaque fois, une nausée monte dans mon ventre parce que je sais que je vais souffrir. N'est-ce pas la leçon que vous vouliez m'apprendre, la Princesse et vous ?

Elle lut la culpabilité et la gêne dans les yeux d'Ebuka avant qu'il ne fasse pivoter son fauteuil et ne s'éloigne vers le salon, marmonnant qu'il parlerait à Olubayo plus tard. Mais les heures passant, il ne fit pas mine d'appeler son fils au rez-de-chaussée. Sans doute préférait-il éviter de s'entendre accuser des mêmes péchés que lui, et Muna le méprisa pour sa faiblesse. Ebuka agirait comme Yetunde si le sujet revenait sur le tapis. Il reprocherait tout à la petite Muna. Ne l'avait-il pas déjà fait ?

À l'heure du déjeuner, elle lui demanda ce qu'elle devait faire du repas d'Olubayo et il lui conseilla de le garder au chaud à la cuisine. Inutile de bousculer le garçon. Sa crise avait dû le fatiguer. Il descendrait quand il serait d'aplomb.

Muna ne discuta pas. S'il préférait permettre à Olubayo de rester dans sa chambre, cela lui convenait parfaitement. Une seule fois, elle rappela à Ebuka qu'il devait prévenir l'école que son fils était malade, mais Ebuka regimba, redoutant de tomber sur une enquiquineuse. Il chercha à se dédouaner en disant que c'était une mauvaise école.

Ils auraient dû lui téléphoner pour signaler l'absence d'Olubayo. Il donnerait un mot d'excuse à son fils le lendemain.

Dehors, le jour commençait déjà à décliner quand Ebuka entra dans la cuisine et demanda à Muna de monter voir ce que faisait Olubayo. Elle était en train de frotter la manche du blazer pour faire partir la tache de sang et secoua la tête en pressant un torchon propre sur le tissu pour le sécher.

Il fait sûrement la même chose que d'habitude, Maître ; il regarde de vilaines choses sur son ordinateur. Si j'entre dans sa chambre, il voudra me les faire à moi.

Je ne te demande pas d'entrer. Appelle-le et dis-lui que son père veut lui parler.

Vous feriez mieux de le faire vous-même, Maître. Il vous obéit mieux qu'à moi.

Il est deux étages plus haut. Il ne m'entendra pas si ses haut-parleurs sont branchés.

Vous n'avez qu'à crier plus fort, Maître.

Ebuka lui jeta un regard noir, peu habitué à ce qu'elle lui tienne tête.

Tu vas trop loin, dit-il sèchement. *Tu ne te permettrais pas ça si la Princesse était là. Tu ne lui demanderais certainement pas de te préférer à son fils, n'est-ce pas ?*

Je ne vous demande pas ça, Maître. Je vous préviens, c'est tout. Si Olubayo s'approche encore de moi, je prendrai un plus grand couteau. Tant pis s'il meurt. La police ne reprochera pas à une petite esclave terrifiée de s'être défendue quand elle saura les choses horribles que vous m'avez faites dans la cave et quand j'expliquerai que vous avez appris à votre fils à en faire autant.

Ce n'est pas vrai.

Tous les fils apprennent de leur père, Maître.

L'expression d'Ebuka oscillait entre colère et incertitude.

Ils ne te croiront pas. Ils voudront savoir pourquoi tu ne leur as pas dit tout ça plus tôt et pourquoi tu as fait semblant d'être ma fille. Tu as raconté autant de mensonges que moi.

Je n'ai pas menti une seule fois, Maître. On ne m'a jamais demandé si j'étais vraiment votre fille.

Tu as menti en disant que tu ne comprenais pas l'anglais.

C'est la Princesse qui a menti, Maître. C'est elle qui a dit que j'étais trop bête pour apprendre quoi que ce soit, et tout le monde l'a crue, même vous. Quand elle reviendra, elle sera très étonnée de découvrir que je suis bien plus intelligente que ses bons à rien de fils.

Tu ferais mieux d'apprendre à tenir ta langue avant son retour. Elle te fera passer le goût de l'arrogance si tu as le culot de lui parler sur ce ton.

Oui, Maître.

Ebuka passa dans l'entrée et appela Olubayo. Le garçon ne répondant pas et ne se montrant pas davantage, Ebuka l'accabla de menaces et de malédictions pour oser défier l'autorité paternelle. Muna écouta avec flegme pendant quelques instants, puis elle referma la porte de la cuisine. Elle sortit un sachet de dragées du placard et se fourra les bonbons l'un après l'autre dans la bouche.

Elle avait toujours rêvé d'être grosse et paresseuse comme Yetunde.

Muna tendit les mains dans un geste suppliant quand Mme Hughes ouvrit sa porte.

— Il faut que vous veniez chez nous, madame, chuchota-t-elle. Papa a besoin de votre aide.

Un homme surgit du salon.

— Qui est-ce, chérie ?

— La petite dont je t'ai parlé. – Mme Hughes prit Muna par la main pour l'empêcher de se sauver. – N'aie pas peur. Mon mari ne te fera pas de mal.

Muna se laissa entraîner jusqu'au seuil. Elle savait déjà que M. Hughes était là parce qu'elle avait repéré sa voiture dans l'allée. Depuis six ans, elle le voyait aller et venir. Il avait les cheveux tout blancs et portait des costumes gris. Ses chemises préférées étaient bleu pâle, et ses cravates préférées bleu foncé.

Elle baissa la tête.

— Je suis heureuse de faire votre connaissance, monsieur. Je vous aperçois quelquefois par les fenêtres de la maison de Papa.

M. Hughes rejoignit sa femme, plissant les yeux avec un sourire soucieux en voyant la frêle enfant qui hésitait sur le pas de la porte, telle une apparition, auréolée de la lueur orangée des réverbères.

— Entre, l'invita-t-il. Dis-nous ce que nous pouvons faire pour toi.

Comme Muna gardait le silence, Mme Hughes répondit à sa place :

— Elle dit que son père a besoin d'aide. Pourquoi, mon petit ? Il est malade ?

— Je ne sais pas, madame. Il est couché devant la porte de la chambre d'Olubayo. Il ne m'a pas crue quand je lui ai dit qu'Olubayo ne s'y trouvait pas...

il s'est hissé jusqu'au dernier étage pour vérifier. Il est épuisé et je ne sais pas quoi faire.

— Ta mère est rentrée ?

Muna secoua la tête.

— Papa pense qu'elle a dû aller hier jusqu'à l'école d'Olubayo pour lui parler. Mon frère était de très mauvaise humeur quand il est rentré à la maison hier soir – il a dit des choses horribles à Papa – et maintenant, il n'est plus là.

Mme Hughes tira ce qu'elle pouvait de ces propos.

— Ton père pense qu'Olubayo est parti rejoindre sa mère ?

— Oui, madame. Il a pris son sac à dos et puis aussi des choses qui appartiennent à Papa et que Mamma a toujours voulu avoir.

— Quelles choses ?

— Les anneaux et les bracelets en or que le père de Papa lui a donnés, madame. Mamma disait que puisque Papa ne les portait pas, il n'avait qu'à les lui donner… mais il trouvait qu'ils étaient trop précieux et il ne voulait pas risquer qu'ils soient perdus ou volés.

M. Hughes prit deux manteaux posés sur une chaise dans l'entrée, en tendit un à sa femme et enfila l'autre.

— Il vaudrait mieux y aller, lui dit-il. Les explications attendront.

Muna trouva d'abord M. Hughes moins effrayant que sa femme. Ses yeux ne s'enfonçaient pas dans les siens comme ceux de Mme Hughes et, apparemment, la seule chose qui l'intéressait était l'aide qu'il pouvait apporter à Ebuka. Mais quand elle les fit entrer et les conduisit à l'étage, elle remarqua qu'il jetait un coup d'œil effronté dans toutes les pièces et prenait les choses en main avec autorité. Ebuka était allongé sur le côté devant la porte ouverte de la chambre d'Olubayo. Muna s'agenouilla à côté de lui, lui caressant le front et lui disant qu'elle était allée chercher du secours.

Ebuka agrippa la main de M. Hughes, soulagé de voir quelqu'un qu'il connaissait. Il répéta le récit de Muna : il s'était hissé à la force des bras, une marche après l'autre, et était complètement éreinté. Il n'aurait jamais dû s'engager dans une telle entreprise. Tirer ses jambes inertes derrière lui était une chose, les faire redescendre en était une autre. Il pria M. Hughes de l'aider à regagner le rez-de-chaussée et de ne surtout pas faire venir d'ambulance. Il allait parfaitement bien, à part une légère fatigue, et s'en serait voulu d'exposer sa bêtise aux ambulanciers.

Muna sentit que Mme Hughes s'apprêtait à protester, mais son mari hocha la tête et glissa son bras droit sous celui d'Ebuka pour le redresser en position assise.

— Mon beau-père avait le même problème chaque fois que son monte-escaliers tombait en panne, dit-il d'un ton rassurant. Nous avions découvert que la meilleure méthode était alors de descendre tout doucement en tandem. Je vais m'asseoir devant vous pour manœuvrer vos jambes, et vous devrez prendre appui sur vos coudes pour descendre. Si vous êtes fatigué, dites-le-moi, nous ferons une pause.

Il demanda à Muna de les précéder et elle les regarda descendre, marche par marche, chaque volée d'escalier. M. Hughes s'était assis deux marches au-dessous d'Ebuka, soutenant ses jambes mortes sur ses épaules et lui donnant les instructions nécessaires. Comme il soutenait ainsi la moitié du poids, les bras de son passager étaient mis à moins rude épreuve et Ebuka, ravi de voir qu'ils se débrouillaient très bien, ne prêtait aucune attention à Mme Hughes.

Ce n'était pas le cas de Muna. À l'affût du moindre grincement de plancher révélant que la sorcière blanche s'introduisait subrepticement dans toutes les pièces de la maison, elle se disait que M. Hughes était très malin et très intelligent de laisser à sa femme le temps de fourrer son nez fureteur là où il n'avait rien à faire. Elle en serait pour sa peine. Muna avait même pensé à glisser les médicaments d'Olubayo contre l'épilepsie dans son sac à dos, avec sa brosse à dents et son gant de toilette.

Le coffret en bois où avaient été rangés les bijoux d'Ebuka était posé, ouvert, sur le bureau d'Olubayo, contenant encore quelques babioles sans valeur, et des cintres vides étaient suspendus dans la penderie, les vêtements dont Olubayo n'avait pas voulu – essentiellement son uniforme – gisant en tas par terre. Les lampes étaient allumées, les rideaux tirés et le lit parfaitement fait, comme s'il n'avait pas servi. Même aux yeux de l'observateur le plus soupçonneux, tout donnait à penser que l'occupant de cette chambre avait attendu que le reste de la maisonnée soit endormi pour prendre les affaires dont il avait besoin et descendre sans bruit au rez-de-chaussée chercher son passeport dans le buffet avant de sortir.

Ebuka manifesta à son voisin une reconnaissance éperdue dès qu'il eut réintégré sain et sauf son fauteuil roulant resté dans l'entrée, et se répandit en excuses pour l'avoir obligé à sortir de nuit, par un froid pareil. M. Hughes lui dit de ne pas s'en faire – Il faut bien que les amis servent à quelque chose, non ? – et les yeux d'Ebuka s'embuèrent encore davantage. Muna exprima ses propres remerciements plus sobrement, souriant timidement à M. Hughes puis à sa sorcière de femme quand celle-ci descendit l'escalier. Leurs visages n'exprimaient rien qui pût l'inquiéter, mais elle devina que M. Hughes n'avait renoncé à appeler une ambulance que pour pouvoir interroger lui-même Ebuka. Ses questions furent très directes.

Quand Olubayo était-il parti ? Pourquoi M. Songoli avait-il attendu aussi longtemps pour aller voir dans sa chambre ? Muna disait-elle la vérité en affirmant que le garçon était rentré de l'école très en colère et avait insulté son père ? Si oui, pourquoi ? Et quels échanges de propos avaient bien pu le convaincre de partir ?

Ebuka secoua la tête et fondit en larmes : il ignorait tout, sinon que Muna avait dit vrai.

— Je n'ai jamais vu mon fils dans un tel état. Il a essayé de me faire ce que ma femme… me faire tomber de mon fauteuil. Voilà pourquoi je pense qu'ils ont dû se parler. Vous l'avez constaté vous-même. Une fois par terre, je suis complètement impuissant.

— Mais s'il vous a insulté, vous devez bien avoir une idée de ce dont il vous accusait ?

— Il était jaloux. Il m'a reproché de préférer Muna. Je n'ose pas imaginer ce qu'il aurait pu nous faire sans cette crise. – Il jeta un coup d'œil en direction du salon. – Muna était persuadée qu'il ne se souviendrait pas de ce qui s'était passé quand il reprendrait conscience, et elle ne se trompait pas. Il avait tout oublié. D'après ce que j'ai pu voir, il était de bonne humeur quand il est allé se coucher.

M. Hughes se tourna vers la fille.

— Ton père a-t-il raison ? Tu as trouvé, toi aussi, qu'Olubayo était de bonne humeur ?

Muna tortilla les épaules.

— Il était content parce que Papa était gentil avec lui, mais il n'était pas content d'être tombé par terre. Il a honte d'être épileptique.

— Tu ne t'es pas inquiétée de ne pas le voir descendre ce matin ?

— Pas vraiment, monsieur. Quand il fait une crise, Mamma ne l'oblige jamais à aller en classe. Nous avons pensé qu'il dormait.

— Pourquoi n'es-tu pas allée vérifier ?

Muna haussa légèrement les épaules.

— Je n'avais pas envie. Il m'a dit de vilaines choses à moi aussi, hier soir.

L'homme eut l'air amusé.

— Tu étais donc aussi fâchée contre ton frère qu'il l'était contre toi ? Tu ne serais pas un peu jalouse, toi aussi ? Tu trouves que ta mère est plus gentille avec lui qu'avec toi ?

— Oui, monsieur. Elle aime mieux les messieurs que les dames.

— Elle a dû être très affligée par la disparition d'Abiola.

— Elle pleurait tous les jours en pensant à lui, et puis Papa a eu son accident et elle a dit que nous n'aurions jamais dû venir dans ce pays. Elle voulait retourner en Afrique, mais c'était impossible... en tout cas, tant que Papa était à l'hôpital.

— Qui s'est occupé de ton père quand il est rentré ?

Muna baissa la tête, comme si elle était gênée.

— C'est Mamma, monsieur.

Il y eut un bref instant silence avant qu'Ebuka n'intervienne :

— Elle ment, dit-il sèchement. Ma femme était dégoûtée par tout ce qui était lié à mon infirmité. C'est Muna qui m'a soigné depuis le jour de mon retour. – Brusquement, il fit rouler son fauteuil jusqu'au buffet et ouvrit le tiroir, cherchant vainement le passeport d'Olubayo. – Elle a toujours projeté de partir avec mon fils. Je m'en rends enfin compte. – Ses larmes, toujours au bord des yeux, jaillirent à nouveau. – Elle me reproche tout ce qui s'est passé depuis qu'on nous a pris Abiola.

M. Hughes esquissa un geste de compassion.

— Vous auriez dû bénéficier d'une aide psychologique, d'une thérapie de deuil, toute votre famille. Vous l'a-t-on au moins proposé ?

Ebuka secoua la tête.

— De toute façon, ça n'aurait rien changé. Yetunde n'aurait pas accepté. Elle n'aime pas que des étrangers fourrent le nez dans nos affaires.

Muna se tourna vers la sorcière blanche.

— C'est quoi, une thérapie de deuil, madame ?

— On vous aide à faire face à la disparition de quelqu'un que vous aimez. Cela aurait permis à ta maman de mieux supporter le chagrin dû à la disparition d'Abiola.

— Elle avait surtout du chagrin pour elle-même,-madame. Ça l'humilie d'être la femme d'un estropié.

— Ce n'est pas un très joli mot, Muna.

— Ah bon, madame ? C'est Mamma qui l'a utilisé quand elle a dit à maître Broadstone qu'elle quitterait Papa dès que la police et les gens de l'ambulance lui auraient donné l'argent. Est-ce qu'il vaut mieux dire « éclopé » ? C'est comme ça que les garçons de l'école d'Olubayo appelaient Papa. Ça faisait pleurer Olubayo... mais il pleurait encore plus quand ils le traitaient de « triso » à cause de son épilepsie. Est-ce que la thérapie de deuil aurait pu faire quelque chose contre ces chagrins-là ?

Mme Hughes se tourna vers son mari, attendant qu'il réponde, mais une fois encore, ce fut Ebuka qui rompit le silence :

— Maître Broadstone est notre avocat, expliqua-t-il. Il a persuadé Yetunde qu'il serait possible d'obtenir une indemnisation si nous portions plainte pour négligence – elle a placé tous ses espoirs dans cette affaire –, mais il nous a écrit juste avant qu'elle ne parte qu'ayant enfin pu consulter le dossier officiel, il renonçait à plaider. J'aurais dû me douter que c'était ce qui l'avait mise en colère. Elle avait cru qu'elle pourrait gagner un pactole en racontant des mensonges.

M. Hughes fit un nouveau – léger – geste de compassion.

— Je suis navré, murmura-t-il. Vous allez sûrement devoir prendre un certain nombre de décisions difficiles… la première étant de savoir s'il convient de signaler la disparition de votre fils. S'il est parti avec sa mère, la police n'interviendra pas, j'en ai peur. Elle ne se mêle jamais des querelles de garde d'enfant.

17.

Les jours passant, Ebuka hésitait entre conviction et scepticisme. Publiquement, il se disait persuadé qu'Olubayo était parti avec Yetunde. Mais dans l'intimité, il confiait ses doutes à Muna. Il avait prévenu l'école d'Olubayo que son fils était retourné en Afrique avec sa mère, mais fit savoir à Muna qu'il avait téléphoné à la sœur de la Princesse, qui avait nié en bloc. Elle n'avait pas vu Yetunde depuis six ans et avait reproché à Ebuka d'être trop pingre pour lui payer des vacances.

Muna lui massa le mollet.

Je suis presque sûre qu'elle ment, Maître. Si vous saviez où est la Princesse, vous exigeriez de parler à Olubayo. Et la Princesse ne veut pas.

Pourquoi ?

Vous lui diriez que vous l'aimez et il supplierait sa mère de le laisser rentrer.

Il me manque tellement, Muna.

Je sais, Maître. Et la Princesse le sait aussi. C'est pour ça qu'elle ne veut pas que vous le retrouviez. Elle prend plaisir à vous faire du mal.

Le troisième jour, une dame des services sociaux frappa à la porte, exigeant des explications. Il y avait des règles concernant la scolarité. Retirer un enfant de son établissement au milieu d'un trimestre était un délit passible d'une amende, sauf dans des circonstances extrêmes et urgentes. M. Songoli était sommé de présenter un certain nombre de documents : une lettre exposant la nature de l'urgence ; une confirmation de réservation d'une compagnie aérienne ; l'adresse et le numéro de téléphone où l'on pouvait joindre la mère et le garçon. S'il s'avérait que M. Songoli avait envoyé Olubayo à l'étranger dans le cadre d'un mariage forcé, la justice serait en droit de lui demander des comptes.

Ebuka s'empourpra de colère. Était-ce une accusation raciste, s'en prenait-on à lui parce qu'il était noir ? Les autorités de cet abominable pays pensaient-elles vraiment qu'il avait si peu d'ambition pour son fils de treize ans qu'il était prêt à lui faire assumer la charge d'une épouse ? Et de quel droit cette femme se permettait-elle d'entrer chez lui pour lui faire la leçon alors qu'il n'était pas citoyen britannique ? Si son fils préférait vivre avec sa mère dans son pays d'origine, ça ne la regardait pas.

Ses récriminations ne firent que l'enliser davantage. La femme lui fit savoir que les ressortissants étrangers originaires de pays extérieurs à l'Union européenne n'étaient pas autorisés à fréquenter les établissements scolaires financés par l'État. M. Songoli avait-il fait une demande de dérogation auprès du Home Office ? Le cas échéant, où était la lettre accordant à son fils le bénéfice d'une scolarité gratuite aux frais du contribuable ? L'attention de l'assistante sociale se porta ensuite sur Muna. Pourquoi sa fille n'était-elle pas en classe ? Une société libre, égalitaire et ouverte se devait d'assurer aux filles une éducation d'aussi bonne qualité qu'aux garçons.

Ce fut Muna qui la pria de faire preuve de compréhension. Elle lui prit la main et l'entraîna dans l'entrée, la suppliant tout bas de ne pas se fâcher contre Papa. Il était hospitalisé au moment où Mamma avait inscrit Olubayo dans sa nouvelle école, et Mamma ignorait tout des règles. C'était une brave femme et elle avait fait ce qu'elle croyait juste. C'était la précédente école de son frère – celle qui coûtait si cher – qui avait laissé disparaître Abiola, et Mamma avait très peur qu'il arrive la même chose à Olubayo. Ils avaient tous beaucoup souffert de l'enlèvement d'Abiola. Pouvait-on exiger d'une personne accablée de chagrin qu'elle soit raisonnable ?

La femme s'adoucit.

— Sais-tu où sont ta mère et ton frère, Muna ?

— Oui, madame. Ils sont dans la famille de Mamma. Elle avait trop peur des Blancs maintenant pour rester ici.

— Pourquoi ne les avez-vous pas accompagnés, ton père et toi ?

— Papa n'est pas encore en état de faire un aussi long voyage, madame. L'infirmière dit que, peut-être, ce sera possible un jour… mais pas maintenant. – Elle haussa les épaules d'un air penaud. – Et puis Mamma préférait qu'il reste ici. Elle a prononcé des mots cruels, elle lui a dit qu'il n'était plus un homme, ce genre de choses... Elle lui a dit aussi qu'il lui ferait honte devant sa famille tel qu'il est devenu.

La femme prit l'air gêné.

— Olubayo était content de partir ?

— Je crois que oui, madame. Il a toujours préféré Mamma parce qu'elle lui donne tout ce qu'il veut. Il a traité Papa de noms horribles, il lui a dit qu'il ne nous servait plus à rien... et Papa a pleuré.

— Ta maman reprochait-elle la disparition d'Abiola à ton père ?

— Non, madame. Seulement aux Blancs comme vous. Elle avait cru qu'Abiola pouvait aller à l'école en toute sécurité dans votre pays, mais ce n'était pas vrai.

Le regard de la femme se dirigea au-delà de Muna, vers la porte d'entrée.

— J'imagine qu'elle s'en veut. Les mères ne surmontent jamais la disparition de leurs enfants.

— Peut-être, madame.

— Es-tu triste qu'elle ne t'ait pas emmenée ?

Muna secoua la tête.

— Elle a dit que si je l'accompagnais, je devrais épouser un inconnu. Autrement, nous n'aurions pas assez d'argent. Je préfère rester avec Papa. Je l'aime beaucoup.

— Tout de même, ce n'est pas un arrangement satisfaisant. Tu devrais être scolarisée.

— C'est ce que disent vos règles, madame ? Dans ce cas, elles sont bizarres. Comment Papa pourrait-il payer, puisque vous venez de lui dire que ses enfants ne peuvent pas aller dans des écoles gratuites ? Il n'est pas facile de faire les choses comme il faut dans ce pays quand les... – elle chercha le terme exact dans sa mémoire – ... *contribuables* sont aussi fâchés que Mamma parce qu'un homme est estropié. – Elle vit une expression de réprobation dans les yeux de la femme. – Pardon, madame. Aurai-je dû dire « éclopé » ? Je ne sais pas très bien quel mot les Blancs préfèrent employer pour désigner un homme qui n'est plus un homme.

Un pâle sourire crispa le visage de la femme.

— « Handicapé ».

Muna répéta :

— « Han-di-capé ». Est-ce que ça veut dire la même chose que « in-ca-pable », madame ? Papa est incapable de satisfaire sa femme alors elle est partie trouver un meilleur mari ailleurs ? C'est ça que ça veut dire ?

— Tu ne devrais pas parler aussi ouvertement des problèmes de ton père, Muna. Ce n'est pas correct.

— Mais c'est pour ça que Mamma l'a quitté. Elle a dit qu'elle allait trouver un homme capable de l'aimer correctement.

Avec un regard inquiet en direction du salon, la femme tendit le bras vers la poignée de la porte.

— Dis à M. Songoli que je ne lui conseille pas d'entreprendre d'autres démarches à propos de ton frère... mais essaie vraiment de le convaincre de consulter un avocat pour connaître ses droits, notamment à la suite de son handicap. Il ne faut pas qu'il se sente marginalisé et humilié à cause de ça.

Muna la remercia et la regarda avec satisfaction rejoindre à grands pas sa voiture garée au bout de l'allée. Quelle chance que les Blancs soient aussi gênés par la vérité ! Ça permettait de se débarrasser d'eux plus facilement.

Ebuka commença à remarquer que Muna passait moins de temps avec lui. Il lui en fit le reproche, exigeant de savoir ce qu'elle fabriquait chaque fois qu'elle montait à l'étage. Elle lui répondit qu'elle faisait le ménage, comme toujours, et lui dissimula qu'elle enfilait les vêtements de Yetunde, s'enduisait le visage des crèmes de Yetunde et s'allongeait sur le lit de Yetunde pour regarder la petite télévision de Yetunde en mangeant des bonbons.

Les pièces de l'étage et tout leur contenu lui appartenaient désormais, et elle prenait plaisir à passer de l'une à l'autre, se délectant de ses nouvelles possessions. Les exigences d'Ebuka l'agaçaient. Il fallait qu'il apprenne à se débrouiller seul.

Elle s'étonnait de sa bêtise chaque fois qu'il cherchait à lui imposer sa volonté. Il aurait dû savoir désormais que Muna était plus tenace que lui. Elle pouvait passer une éternité tapie dans un coin à le regarder déverser sa fureur contre elle, alors que lui-même n'avait pas la patience de se taire pendant une demi-heure.

Il chercha à rallier l'infirmière à sa cause, critiquant hargneusement Muna qui refusait de l'aider quand il le lui demandait. Il lui confia que sa fille prenait un malin plaisir à laisser tout ce dont il avait besoin hors de portée, son fauteuil roulant notamment. Muna expliqua d'une petite voix qu'elle voulait simplement l'aider à reprendre confiance en lui, et l'infirmière prit son parti, reprochant à

Ebuka de juger normal de traiter Muna comme sa domestique.

Muna éprouvait une vraie jouissance à voir le désespoir envahir les yeux d'Ebuka en de tels instants. Il aurait pu dire à l'infirmière que Muna avait confisqué la clé de sa chambre, qu'elle entrait et venait à sa guise. Qu'elle lui retirait son fauteuil roulant toutes les nuits, l'enfermait pendant des heures d'affilée quand ça lui chantait et le tourmentait en le privant de nourriture. Que même s'il avait pu sortir de son lit et de sa chambre, il n'avait aucun moyen de téléphoner pour appeler à l'aide parce que Muna avait remisé à l'étage les ordinateurs, les téléphones portables et le combiné de la ligne fixe.

Mais il n'en disait rien, car il savait que ces brimades étaient encore plus supportables que l'indignation des Blancs s'il prenait fantaisie à Muna de leur révéler qu'il avait déversé sa saleté dans une frêle petite esclave parce que sa grosse et laide épouse se refusait à lui.

18.

Muna s'inclina au-dessus du lit d'Ebuka pour observer son visage quand le relevé de la société de cartes de crédit arriva. Il avait l'air bouleversé.

Qu'y a-t-il, Maître ? La Princesse a-t-elle dépensé plus que vous ne pensiez ?

Il tendit la main pour l'attraper à la gorge, mais Muna fut plus prompte que lui. Elle s'écarta d'un bond, se demandant ce qu'il espérait d'un tel geste. Pensait-il pouvoir la contraindre à l'obéissance en lui faisant mal ? Ou croyait-il qu'il s'en sortirait mieux s'il la tuait ? Les téléphones et les ordinateurs seraient toujours hors de sa portée. Elle le regarda prendre de longues inspirations, cherchant à se calmer.

Je ne crois pas Yetunde ait utilisé cette carte, dit-il enfin. *Il y a eu deux transactions avec le supermarché local, mais ni hôtels ni billets d'avion.*

C'est sûrement pour ça qu'elle a demandé à Olubayo de voler vos bijoux, Maître. Elle voulait les vendre pour pouvoir acheter des choses sans que vous le sachiez.

Une lueur d'impatience passa sur le visage d'Ebuka.

Je t'avais bien dit au moment où la Princesse est partie que je saurais qu'il lui était arrivé quelque chose si elle n'utilisait pas sa carte.

Mais elle l'a utilisée, Maître. Elle a acheté de quoi manger pour Olubayo et elle.

Quelqu'un l'a fait... mais je ne crois pas que ce soit elle. Je pense qu'on lui a volé sa carte. Comment pourrait-elle faire des courses au supermarché du coin si elle est en Afrique ?

Elle n'est peut-être pas en Afrique, Maître.

Il tapota le papier avec colère.

Alors où sont les versements d'une location, les factures d'hôtel ? Il faut bien qu'elle loge quelque part si elle est restée en Angleterre. Il devrait y avoir une centaine de transactions sur ce relevé.

Elle est chez une amie, Maître. Elle est forcément tout près d'ici puisqu'elle a pu parler à Olubayo.

Ebuka scruta son visage, profondément troublé.

Si ce n'était pas complètement impossible, je croirais que c'est toi qui as provoqué le départ de Yetunde et d'Olubayo... et même la disparition d'Abiola. Chaque fois, tu en as profité bien plus que n'importe qui.

Muna lui rendit son regard.

Je n'ai profité de rien du tout, Maître. Je suis toujours une esclave.

On ne le dirait pas, à voir comment tu te conduis.

Comment aurais-je pu faire partir la Princesse et Olubayo, Maître ? Ils n'ont jamais fait que ce qu'ils avaient envie de faire. Je ne sais pas faire disparaître les gens comme ça.

Il serra et desserra les poings.

N'empêche que tu aimerais bien. Si tu pouvais, tu préférerais vivre toute seule ici. Tu es plus attachée à cette maison que tu ne l'as jamais été à personne. Je vois bien ton air triomphant quand tu es dans l'entrée et que tu te dis qu'elle est à toi.

Elle tient à moi autant que je tiens à elle.

Les maisons n'éprouvent pas de sentiments.

Celle-ci en a, Maître. Il m'arrive de l'entendre rire.

Il se détourna pour regarder par la fenêtre et Muna devina qu'il était en proie à un violent conflit intérieur. Il savait forcément, songea-t-elle, que c'était elle qui s'était servie de la carte de crédit de Yetunde. Même un imbécile comme lui ne pouvait que finir par se demander d'où provenait ce qu'il y avait dans son assiette. Mais non. Quand Ebuka reprit la parole, ce fut pour parler de la maison :

Tu comptes rester ici éternellement, Muna ?

C'est chez moi, Maître. J'aime bien cette maison.

Tu sais pourtant qu'elle ne m'appartient pas, non ? Elle a un propriétaire à qui je paye un loyer.

Un loyer ? Qu'est-ce que c'est, Maître ?

De l'argent.

Nous en avons, Maître.

Plus pour très longtemps. Dans un mois, je ne toucherai plus de salaire. Nous ne pourrons plus rester ici. Cette maison est trop grande et le loyer trop élevé. Nous devrons nous installer dans un logement moins cher.

Muna pensa aux corps dans la cave.

Je ne veux pas, Maître.

Si nous restons, nous serons expulsés. Les propriétaires n'ont aucun intérêt à garder des locataires qui ne payent pas ce qu'ils leur doivent. Nous serons obligés de partir, que cela nous plaise ou non.

Il faut trouver un moyen de continuer à payer, Maître.

Ebuka se retourna vers elle avec un rire rauque.

Et comment ? D'où crois-tu que vient l'argent ? Si la Princesse était encore là, elle appellerait mon employeur pour le supplier de me laisser travailler à domicile sur mon ordinateur... ou elle demanderait aux services sociaux de payer notre loyer. Elle ne laisserait pas cette maison nous échapper par pure ignorance, comme toi.

Un soupçon d'incertitude envahit l'esprit de Muna. Disait-il vrai ou était-ce un piège pour qu'elle lui donne un téléphone ? Elle se rappela que maître Broadstone avait regretté un jour qu'Ebuka n'ait pas pris un crédit immobilier avec une assurance contre les accidents. Après sa paralysie, sa dette aurait été remboursée par l'assurance et son épouse aurait eu un souci de moins. Muna n'avait rien compris à ce discours, mais elle avait bien vu que ces paroles renforçaient Yetunde dans sa volonté d'exiger une indemnisation.

Elle observa Ebuka attentivement.

La Princesse appellerait maître Broadstone, Maître. Chaque fois qu'il est venu, il a dit qu'il pouvait obtenir de l'argent pour elle. Vous devriez lui téléphoner avant de parler à votre employeur.

Elle était tellement convaincue qu'Ebuka cherchait à la piéger pour qu'elle lui rende son portable qu'elle n'avait pas pensé qu'il se rappellerait ce qu'il avait dit à M. Hughes. Elle avait tort. Il secoua la tête, agacé.

L'avocat a déjà dit que la plainte ne tenait pas la route. Tu es aussi naïve que Yetunde si tu t'imagines qu'il sera facile de rester ici. Nous devons trouver quelqu'un d'autre pour nous aider.

Pas nous, Maître... : vous.

Je ne peux rien faire tant que tu me gardes prisonnier et que tu m'empêches d'utiliser mon portable et mon ordinateur. Tu crois sans doute me punir ainsi, mais ce n'est pas très malin. Tu ne peux pas rester ici sans moi.

Il avait raison, Muna le savait. Elle songeait souvent à faire tomber Ebuka dans l'escalier de la cave, mais elle se retenait, consciente que sa mort créerait plus de problèmes qu'elle n'en résoudrait. Malgré son envie d'avoir la maison tout à elle, elle était incapable d'imaginer comment elle pourrait expliquer de façon convaincante que son père invalide était parti sans elle ou était capable de voyager seul. Une foule de fouineurs viendraient poser des questions – la sorcière blanche en tête.

Elle doutait aussi de sa capacité à traîner le corps pesant et inerte d'Ebuka dans la seconde cave, où elle avait déjà eu tant de mal à faire entrer Olubayo. Toujours éperdu de reconnaissance pour la gentillesse qu'elle lui avait témoignée après sa crise d'épilepsie, le garçon n'avait pas hésité à la suivre au rez-de-chaussée en pleine nuit quand elle lui avait annoncé que Yetunde lui avait laissé un message sur la ligne fixe, que son père ne voulait pas qu'il entende.

Olubayo était très bête. Muna l'avait persuadé de descendre dans le noir et en silence pour éviter de réveiller Ebuka et, bâillant à s'en décrocher la mâchoire, il n'avait pas remarqué la porte de la cave ouverte ni le marteau qui s'était abattu sur le côté de son crâne. Il avait basculé en avant et était tombé, accompagné par le rire du Diable, exactement comme sa mère, et Muna avait tressailli de joie en le voyant écroulé sur le sol de pierre quand elle avait allumé la lampe.

Elle était descendue tout doucement, impatiente de lui rappeler qu'elle avait toujours dit qu'elle ne voulait pas de lui comme frère. Mais il était mort, et elle avait eu beaucoup de mal à traîner et à faire rouler son corps inanimé jusqu'à la porte dérobée. Il avait laissé sur les pierres des traces sanglantes qu'elle avait dû nettoyer puis recouvrir soigneusement de poussière une fois sèches. Muna avait fait cela méticuleusement, bien sûr. Elle faisait tout méticuleusement, mais elle devrait attendre d'être plus grande et plus forte pour pouvoir infliger le même sort à Ebuka.

T'est-il arrivé d'essayer de punir Yetunde ? demanda Ebuka à brûle-pourpoint.

Je l'aurais sûrement fait si cela avait été possible, Maître, mais elle était trop forte pour quelqu'un d'aussi petit que moi. Vous m'auriez trouvé morte par terre si j'avais essayé. Elle a bien failli me tuer plusieurs fois.

Ebuka poussa un soupir fatigué, ne pouvant que lui donner raison.

Elle nous a tous transformés en monstres le jour où elle s'est rendu à l'orphelinat, dit-il. *Elle avait vu ton nom dans un vieux journal, ce qui lui a permis de fabriquer de faux documents prétendant que tu étais de sa famille.*

Pourquoi est-ce qu'on parlait de moi dans le journal, Maître ?

Ta mère a été assassinée quand tu avais quatre ans. Les religieuses t'ont accueillie et t'ont donné un foyer.

Pourquoi est-ce que je ne me souviens pas de ma mère, Maître ?

Tu as été traumatisée par cette tragédie. Tu as bercé la tête de ta maman sur tes genoux pendant trois jours avant que les voisins ne commencent à s'inquiéter. C'est l'odeur de la mort qui les a alertés.

Je n'en ai aucun souvenir, Maître.

Le choc t'a privée de la parole et de la mémoire. Les religieuses disaient que tu étais l'enfant la plus silencieuse qu'on leur ait jamais confiée, et elles ont averti la Princesse que tu ne pourrais peut-être jamais communiquer parfaitement. Ce sont elles qui ont laissé entendre que tu avais sans doute subi des lésions cérébrales à la naissance.

A-t-on retrouvé l'assassin, Maître ?

Ebuka secoua la tête.

Ta mère connaissait beaucoup d'hommes. La police n'a jamais su qui l'avait tuée.

Est-ce qu'elle a vraiment essayé de le trouver, Maître ?

Pas avec autant de zèle qu'elle aurait dû. Ta mère avait attiré la honte sur elle par la manière dont elle gagnait sa vie.

Muna revit en esprit les femmes nues qui défilaient sur l'ordinateur d'Olubayo.

La Princesse disait pourtant que ma mère était sa sœur, Maître.

Seulement parce que ça l'arrangeait. Elle a inventé l'histoire d'une seconde épouse qui aurait laissé sa fille mal tourner et rompre avec le reste de la famille. Elle a raconté aux religieuses qu'elle n'avait appris la mort de ta mère que tout récemment. Si elle l'avait su plus tôt, elle se serait précipitée pour te récupérer immédiatement. Elle mentait bien, et elles l'ont crue.

Qui est mon père, Maître ?

Je n'en sais rien. D'après les voisins, ta mère ne le savait pas non plus.

Les yeux de Muna restaient fixés sur lui, sans ciller.

Pourquoi est-ce que vous me racontez tout ça, Maître ?

Parce qu'il vaut mieux que tu connaisses ton histoire avant que la police n'en soit informée. Il ne sera plus possible de garder le moindre secret quand nous serons expulsés de cette maison. Ce n'est que grâce à ses murs que la vérité a pu rester cachée aussi longtemps.

19.

Muna ne broncha pas quand, ouvrant la porte, elle découvrit l'inspectrice Jordan et Mrs Hughes sur le seuil. Mais son cœur frémit de colère. Ebuka l'avait trahie. Elle lui avait apporté son téléphone pour qu'il puisse appeler, avait-il prétendu, son employeur et les services de logement, et elle l'avait cru. Elle se reprocha de n'avoir pas relevé qu'il n'avait jamais prononcé le nom des gens qu'il appelait.

Le regard de l'inspectrice se dirigea derrière elle, vers le fond de l'entrée.

— Bonjour, monsieur Songoli. Aviez-vous prévu que nous arriverions en même temps ou préférez-vous que l'une de nous deux revienne plus tard ?

Ebuka arrêta son fauteuil.

— C'était délibéré. Mme Hughes pourra confirmer ce que j'ai l'intention de vous dire. Fais entrer ces dames, Muna.

Non, Maître. Je ne veux pas qu'elles viennent ici.

Il s'approcha d'elle pour l'empêcher de refermer la porte.

— Parle anglais, Muna, fit-il d'un ton réprobateur. Mme Hughes sait que tu le parles couramment et il est impoli de faire croire à l'inspectrice que tu ne comprends pas ce qui se dit.

Muna esquissa une petite révérence.

— Excusez-moi, mesdames. Papa m'apprend de nouveaux mots tous les jours mais j'ai toujours plus de facilités dans ma propre langue. Je suis heureuse de vous revoir.

L'inspectrice Jordan l'examina avec curiosité et Muna éprouva le même pincement d'angoisse qu'à leur première rencontre. Elle avait oublié combien ses yeux bleus étaient perçants – ils voyaient tout, comme ceux de Mme Hughes – et frissonna à l'idée que les deux Blanches soient capables de lire dans son esprit. Elle fit un pas de côté pour les laisser entrer et prit l'air grave quand Ebuka lui demanda d'aller à la cuisine faire du thé.

— Je ne crois pas que ce soit une bonne idée, Papa. Si tu veux raconter correctement l'histoire de Mamma, tu ne peux pas passer sous silence ce qu'elle a de honteux. Il vaudrait mieux que ce soit moi qui explique pourquoi elle est partie.

— Je te demande tout de même d'aller faire du thé, Muna.

— Ce n'est pas la peine, murmura l'inspectrice Jordan. J'aimerais bien entendre ce que votre fille a à dire. J'ai cru comprendre au téléphone que c'était urgent, monsieur Songoli.

— En effet, enchaîna-t-il précipitamment. Je crois que ma femme est morte.

Ebuka n'avait jamais appris les vertus de la patience. S'il avait voulu avoir une chance d'être cru, il aurait dû raconter son histoire lentement et avec finesse, comme le faisait toujours Muna. Les deux Blanches lui jetèrent un regard sceptique en le suivant au salon, mais peut-être était-ce son trouble manifeste qui les inquiétait. Ses yeux jaillirent de leurs orbites de façon alarmante quand il fourra entre les mains de l'inspectrice le relevé de la carte bancaire et affirma énergiquement que si Yetunde était en vie, ses achats ne se limiteraient pas à deux transactions au supermarché du coin.

— Il devrait y avoir au minimum des factures d'hôtels cinq étoiles et de grands magasins, insista-t-il. Quand elle est fâchée, elle descend dans les meilleurs établissements et s'achète des vêtements et des bijoux.

L'inspectrice s'assit pour se mettre à son niveau.

— Calmez-vous, monsieur Songoli, et recommencez depuis le début, je vous prie. Pour le moment, je ne comprends pas comment ce morceau de papier peut vous faire croire au décès de votre épouse. Dois-je comprendre qu'elle vous a quitté ?

— C'est ce que je pensais, répondit-il impatiemment. Mais j'ai changé d'avis en voyant ce relevé.

— Vous venez de dire qu'elle était fâchée. Vous êtes-vous disputés ?

— Un peu, mais ça n'explique pas qu'elle n'ait pas utilisé sa carte de crédit !

— Que voulait dire votre fille en parlant de quelque chose de « honteux » ?

Muna était assise sur le canapé, tête basse, l'image même de la timidité, comme la nuit de la disparition d'Abiola, et elle écoutait Ebuka essayer de minimiser sa querelle avec Yetunde. Quel imbécile ! Il ne comprenait donc pas que l'inspectrice Jordan s'intéresserait autant aux raisons qui avaient pu pousser Yetunde au départ qu'au fait qu'elle n'ait pas utilisé sa carte de crédit ? Si cette idée lui avait effleuré l'esprit, il n'aurait jamais fait venir la sorcière blanche.

Il avait cru que Mme Hughes n'évoquerait que son inquiétude manifeste pour Yetunde – qu'elle parlerait de ses larmes et de son désespoir –, mais elle hocha la tête d'un air navré et confia à l'inspectrice que la querelle entre M. Songoli et sa femme avait été si violente qu'elle lui avait conseillé d'appeler la police.

Elle décrivit les hématomes d'Ebuka, sa réticence à rentrer chez lui, le soulagement qu'il avait éprouvé en trouvant la maison vide. Elle parla du palan qui était dans l'entrée et des traces que M. Songoli avait laissées sur la moquette en essayant de se traîner jusqu'à sa chambre. Elle pouvait confirmer que Mme Songoli était bien partie, parce qu'elle était personnellement montée inspecter les chambres. Elle en avait fait autant après le départ d'Olubayo quand Muna était venue lui demander de l'aide parce que son père était complètement désemparé.

— Avez-vous oublié ce que vous avez confié à mon mari ce soir-là ? demanda-t-elle à Ebuka. Que votre femme avait soigneusement préparé leurs deux départs ? Cela vous contrariait beaucoup… vous avez dit qu'elle vous reprochait la disparition d'Abiola et que votre relation en avait beaucoup souffert.

Ebuka se frotta énergiquement la mâchoire.

— C'était avant que je découvre qu'elle n'a pas utilisé sa carte. Elle ne peut pas s'en passer.

L'inspectrice posa le doigt sur le feuillet.

— Elle a tout de même acheté pour quatre cents livres de nourriture.

— Quelqu'un l'a fait, reconnut-il. Mais ce n'est pas Yetunde.

Ses paroles et le regard qu'il jeta à Muna attirèrent l'attention de Mme Hughes. Elle se trémoussa sur son siège comme pour prendre la parole, mais Muna leva la tête et intervint sans lui laisser le temps de le faire :

— Il n'y avait plus rien à manger après le départ de Mamma, expliqua-t-elle à l'inspectrice Jordan. Alors j'ai apporté le smartphone à mon amie Mme Hughes et je lui ai demandé de m'apprendre à m'en servir. C'est comme ça que Mamma faisait toujours pour acheter à manger. Je voulais que Papa soit content. Il trouve qu'on ne doit pas ennuyer les hommes avec des histoires de cuisine.

L'inspectrice jeta un regard interrogateur à Mme Hughes, qui acquiesça d'un bref hochement de tête.

— Comment se fait-il que tu aies la carte de ta mère ?

— Je ne l'ai pas, madame. Je me suis rappelé les mouvements que faisaient ses doigts chaque fois qu'elle utilisait son téléphone pour faire des courses. – Muna posa la main sur le canapé et fit comme si elle tapotait un écran. – Je ne sais pas lire les chiffres, mais je sais dans quel ordre il faut taper sur les petites cases. Ça suffit pour faire venir la camionnette blanche. Mme Hughes pourra vous dire que je sais très bien faire ça.

Mme Hughes hocha encore la tête.

— Je n'ai jamais rencontré d'enfant qui ait l'esprit aussi agile. Elle est capable de mémoriser n'importe quelle succession de chiffres. – Elle se tourna vers Ebuka. – Franchement, je ne comprends pas que vous n'ayez pas voulu la scolariser, monsieur Songoli. Je suis certaine qu'elle a un QI supérieur à la moyenne.

— Vous n'aviez pas à l'aider, répliqua-t-il, furieux. Elle m'a fait croire que ma femme était vivante. Quand j'ai appelé la société de cartes de crédit, on m'a dit que la carte avait été utilisée. Muna aurait pu avouer la vérité à ce moment-là… mais elle ne l'a pas fait.

L'inspectrice lui rendit le relevé.

— Muna ne pouvait pas savoir qu'il n'y avait pas d'autres achats que les siens, fit-elle remarquer. Si vous avez pensé que Mme Songoli dépensait de l'argent, elle l'aura pensé, elle aussi. Il est toujours facile d'avoir raison après coup. – Elle jeta un coup d'œil à Muna. – Pourquoi ne l'as-tu pas dit ce matin, quand le relevé est arrivé ?

— J'ai eu peur, madame. Je savais que Papa serait fâché.

— Je ne suis pas fâché, grommela Ebuka d'un ton qui démentait ses propos. Je suis inquiet. – Il tapota le feuillet. – Ça n'a pas de sens. Je connais bien ma femme.

— En êtes-vous vraiment sûr, monsieur ? Son agression semble vous avoir pris par surprise. Allez-vous enfin me dire pourquoi elle s'est mise en colère contre vous ? Était-ce lié à la disparition d'Abiola ?

Ebuka ne répondit pas immédiatement, mais quand il se décida, il fit écho à l'excuse qu'avait donnée Muna. Peut-être avait-il fini par y croire lui-même.

— En un sens. Je voulais que Muna m'accompagne au jardin et je lui ai demandé d'enfiler l'anorak et les bottes d'Abiola parce qu'ils étaient juste là, dans la penderie. Yetunde a perdu son sang-froid en la voyant.

— C'est tout ?

— Dans mon souvenir, oui.

L'inspectrice n'était pas convaincue.

— Il a dû y avoir autre chose, monsieur. Les manifestations de violence ne sont pas dues à une tristesse passagère, mais à une accumulation de colère. Faire tomber son mari de son fauteuil roulant et lui bourrer la tête de coups de pied, cela relève d'une violence personnelle, de proximité. Ce geste semble exprimer un ressentiment durable plus que de l'affliction.

Ebuka enfonça un poing dans la paume de son autre main.

— Ça ne change rien. La vraie question n'est pas de savoir pourquoi Yetunde est partie, mais pourquoi elle ne se sert pas de sa carte. Comment mon fils et elle vivent-ils si ce n'est pas à crédit ?

— Elle doit avoir une autre source de revenus… un compte bancaire dont vous ignorez l'existence.

Ebuka secoua la tête.

— C'est impossible. J'étais le seul à gagner de l'argent dans cette maison.

— Vous lui remettiez une certaine somme chaque mois ?

— Non. Un peu de liquide de temps en temps, mais elle payait presque tout par carte. Quand des factures arrivaient, je les réglais par chèque. C'est à cause de ça, d'ailleurs, que nous nous sommes disputés après mon accident. De quoi allions-nous vivre si j'étais incapable de travailler ?

— Qui a fait les chèques quand vous étiez à l'hôpital ?

Une expression de lassitude résignée envahit le regard d'Ebuka.

— J'ai signé des chèques en blanc.

— Et vous les avez remis à votre épouse pour qu'elle les remplisse ?

— Je n'avais pas le choix. Le centre de rééducation était loin de chez nous, et Yetunde ne voulait pas s'absenter aussi longtemps. Elle prétendait que c'était à cause d'Olubayo et de son épilepsie, mais – sa voix se brisa – elle avait plus de mal que moi à accepter mon état.

— Je suis désolée, fit l'inspectrice avec une compassion sincère. Vous avez vécu une période très difficile tous les deux. La disparition d'Abiola était encore très récente et ces quelques mois de séparation juste après n'auront pas arrangé les choses. – Elle se pencha vers lui. – Il faut que vous discutiez avec votre banque... que vous trouviez à quel ordre ont été libellés ces chèques. Si c'est Mme Songoli qui les a encaissés, vous ne serez pas très avancé, mais un bon détective privé devrait pouvoir retrouver sa trace. Malheureusement, la police ne peut pas intervenir dans ce genre d'affaires.

Ebuka fixa le plancher pendant quelques secondes. Quand il reprit la parole, ce fut en haoussa :

La Princesse avait-elle de l'argent à la maison pendant que j'étais à l'hôpital ?

Muna se demanda s'il cherchait à la piéger. Avait-il oublié les querelles qui l'avaient opposé à Yetunde à propos de chèques à « encaisser » ? Sur le moment, elle n'avait pas compris ce que cela signifiait, mais les propos de l'inspectrice Jordan l'avaient éclairée. Valait-il mieux paraître ignorante ou informée ?

Vous le savez bien, Maître. Vous lui avez jeté à la figure une lettre de la banque après votre retour à la maison et lui avez dit qu'elle était idiote de croire qu'en transformant des chèques en argent, elle pourrait cacher combien elle avait dépensé.

Et qu'est-ce qu'elle a acheté avec ?

Muna pensa aux grosses chaînes en or accrochées autour du cou flasque de Yetunde au fond de la cave. Elle s'était vantée à Olubayo des bonnes affaires qu'elle avait faites au marché asiatique en plein air, refusant de l'écouter lorsqu'il la mettait en garde contre la colère d'Ebuka quand il découvrirait sa prodigalité. L'or était un bon investissement, avait rétorqué Yetunde. S'ils n'obtenaient pas l'indemnisation, au moins, elle aurait des objets de valeur à vendre. Et pour une fois, ce serait au mari de demander de l'argent à sa femme, et non l'inverse.

Cette fois, Muna jugea que l'ignorance lui serait plus profitable.

Je ne sais pas, Maître. Je l'ai seulement vue acheter des choses avec son portable… comme elle faisait toujours.

Ebuka se pinça l'arête du nez entre le pouce et l'index.

L'inspectrice pense qu'elle a encaissé de l'argent en espèces et l'a versé sur un compte dans une autre banque. Tu comprends ce que ça veut dire ?

Pas très bien, Maître.

Ça veut dire qu'elle pourrait avoir une carte dont j'ignore l'existence. L'as-tu vue un jour taper sur l'écran un autre numéro que d'habitude ?

Muna fut tentée d'acquiescer. Il penserait sûrement que la Princesse lui avait volé de l'argent pour pouvoir le quitter. Mais le regard attentif d'Ebuka ne lui échappa pas. La sorcière blanche avait fait trop grand cas de son intelligence. Il demanderait sûrement à Muna de lui montrer dans quel ordre les doigts de Yetunde avaient appuyé sur les carrés.

Non, Maître. Si elle l'avait fait, je m'en serais souvenue.

La déception le rendit irritable. Il claqua ses paumes contre ses jambes et poursuivit en anglais :

— Tu vois et tu entends tout ce qui se passe dans cette maison ! cria-t-il, furieux. Comment peux-tu ignorer que Yetunde me volait ?

Peut-être Ebuka avait-il raison de se méfier des femmes. Les deux Blanches n'apprécièrent pas qu'il élève la voix contre Muna. Mme Hughes se pencha en avant pour la protéger tandis que l'inspectrice Jordan prévenait Ebuka qu'elle serait obligée d'intervenir si elle avait la moindre raison de penser qu'il se défoulait sur sa fille de l'exaspération due au comportement de sa femme. La législation de ce pays accordait la priorité au bien-être de l'enfant, lui rappela-t-elle.

Elle se tourna vers Muna :

— Tu comprends ce que ça veut dire, Muna ?

— Je crois que oui, madame. Je crois que vous dites que Papa n'a pas le droit de me faire du mal.

— Il t'en fait ?

Muna adressa un sourire à ses yeux bleus sagaces.

— Bien sûr que non, madame. Papa m'aime beaucoup. S'il n'était pas gentil avec moi, je l'aurais dit à mon amie Mme Hughes. Elle m'a demandé plusieurs fois si elle pouvait faire quelque chose pour m'aider.

Muna ne savait pas si c'étaient ses paroles ou les larmes qui envahirent soudain les yeux d'Ebuka qui persuadèrent l'inspectrice et Mme Hugues de prendre congé. Les deux femmes eurent l'air gênées lorsqu'il baissa les yeux sur ses mains et se mit à sangloter irrépressiblement. Dans l'entrée, elles recommandèrent à Muna d'appeler son médecin, se disant préoccupées par l'état mental de son père. De toute évidence, il était profondément déprimé et perturbé.

Elle demanda timidement comment la médecine pourrait les aider à payer leur loyer, car la plus grande angoisse de son père était de perdre leur maison.

— Quand toutes nos affaires seront parties et que des inconnus habiteront ici, Mamma et Olubayo ne pourront plus jamais nous retrouver, expliqua-t-elle. Voilà pourquoi Papa est triste. Il ne sait pas quoi faire, ni à qui demander de l'aide. Il a peur et il a honte de ne pas avoir d'argent.

L'inspectrice prit l'air pensif.

— Cela expliquerait évidemment qu'il soit fâché contre ta mère. Savait-elle qu'elle risquait de vous faire perdre la maison ?

Muna secoua la tête, se rappelant ce qu'elle avait dit à Mme Hughes.

— Mamma ne réfléchit plus quand elle est en colère, madame. Tout ce qu'elle veut, c'est montrer à Papa qu'elle est terriblement malheureuse.

— Mais pourquoi s'est-elle mise en colère ? Ton père ne nous l'a pas vraiment expliqué.

— À cause de tout, madame. L'épilepsie d'Olubayo… l'accident de Papa… mais, surtout, la disparition d'Abiola. – Muna se hasarda à prononcer une phrase qu'elle avait entendue dans les talk-shows qu'elle regardait désormais tous les après-midi : – Papa voulait qu'elle cesse de culpabiliser et arrive à faire son deuil, mais du coup, elle a cru qu'il était moins affecté qu'elle par ce qui était arrivé à Abiola.

— Et elle lui en tenait rigueur ?

— Je ne sais pas trop, madame. Je ne sais pas ce que veut dire « rigueur ».

— Elle lui en voulait… elle éprouvait de la rancune pour lui… elle pensait qu'il était indifférent à ses sentiments… – voilà ce que je veux dire.

Mme Hughes secoua la tête.

— J'imagine qu'elle en veut surtout à la police, murmura-t-elle. Abiola a été enlevé en pleine rue, pourtant la famille n'a pas obtenu justice… Pas d'enterrement… pas moyen de tourner la page. Je ne m'étonne pas que Mme Songoli ait la tête à l'envers. Et son mari aussi.

Les joues de l'inspectrice s'empourprèrent légèrement.

— Dis à ton père que je vais déposer une requête pour que votre loyer soit payé, dit-elle à Muna d'un ton bourru en tournant la poignée de la porte d'entrée. Il n'est dans l'intérêt de personne que vous soyez expulsés tant que l'enquête sur la disparition de ton frère n'est pas close.

Muna inclina la tête dans un geste de gratitude et reçut en retour un sourire réticent. Elle ne cessait de s'étonner de la facilité avec laquelle elle réussissait, en les embarrassant, à convaincre les Blancs d'agir à sa guise. Depuis l'entrée, elle regarda les deux femmes s'éloigner et elle entendit rire le Diable dans les entrailles de la cave. Le bruit était assourdi – un souffle qui faisait vibrer le sol – mais elle sentit ses tremblements lui parcourir joyeusement le corps.

PRINTEMPS

20.

Accroupie dans la poussière de la chambre forte, Muna posa le doigt sur la joue gauche de Yetunde. Elle n'était plus venue là depuis qu'elle avait réuni Olubayo et sa famille et fut affreusement déçue de trouver Yetunde aussi rabougrie et racornie. Pendant un certain temps, après que Muna lui eut arraché le ruban adhésif de la bouche, Yetunde avait été plaisante à voir, mais ses lèvres s'étaient à présent retroussées sur ses dents en esquissant une affreuse grimace et ses paupières reposaient à plat sur les orbites, comme si les globes oculaires s'étaient enfoncés à l'intérieur de son crâne.

Sa chair s'était tellement desséchée que ses bagues et ses colliers paraissaient disproportionnés sur ses doigts et son cou squelettiques ; son kaba de soie bleue dessinait d'amples plis là où ses seins bulbeux et son énorme ventre avaient fondu. Il n'était pas facile de reconnaître Yetunde dans ce petit cadavre grisâtre.

Abiola et Olubayo étaient dans le même état. Ils étaient allongés dans la poussière – Abiola recroquevillé sur le côté, Olubayo à plat sur le dos –, les yeux creux, les dents saillantes. Muna se demanda si Ebuka lui-même reconnaîtrait ses fils dans ces visages émaciés et ces grimaces convulsées, hostiles. Elle regrettait d'éprouver une telle répulsion à leur égard. Elle s'était délectée de pouvoir les aimer et les caresser ; malheureusement, ce plaisir avait été éphémère.

Elle chercha à soulever la main de Yetunde, mais la peau déshydratée s'était durcie, rigidifiant tout le corps. La Princesse resterait assise là pour l'éternité, la tête adossée au mur de la cave, sauf si Muna la déplaçait. Cette perspective lui avait paru inenvisageable quand Ebuka avait évoqué pour la première fois leur départ éventuel, mais Mme Hughes avait appris à Muna qu'il était très facile de transporter le contenu d'une maison dans une autre.

Ebuka ferait venir un camion, et Muna emballerait toutes leurs affaires dans des cartons et dans des malles qu'elle fermerait solidement avec du ruban adhésif pour éviter que leur contenu se renverse. Comme elle serait la seule à savoir ce qu'ils renfermaient, elle dessinerait dessus un signe pour que les déménageurs sachent où les déposer à leur arrivée. L'expérience avait appris à Mme Hughes combien il était exaspérant et épuisant de retrouver la vaisselle dans les chambres, à l'étage.

Depuis qu'elle savait tout cela, Muna ne redoutait plus de déménager, un sujet qui avait été abordé à maintes reprises depuis que des psychologues, des ergothérapeutes et des travailleurs sociaux avaient commencé à s'intéresser à Ebuka et elle. Tous s'accordaient à dire qu'une maison de deux étages, avec une allée en gravier et des sanitaires inadaptés au rez-de-chaussée, ne convenait pas à un homme en fauteuil roulant. Apparemment, il était impossible d'obtenir que leur loyer soit payé sans accepter en contrepartie aide et conseils sur l'intégralité de leur mode de vie.

La plupart de ces interventions avaient été utiles à Ebuka. Une fois confirmé son droit à une assistance, il avait été question de lui fournir une voiture spécialement aménagée, de lui accorder une formation pour qu'il puisse réintégrer le monde du travail et d'intercéder auprès de son employeur pour qu'il lui conserve son emploi pendant encore six mois. Et surtout, les visites fréquentes – généralement imprévues – empêchaient Muna de continuer à le négliger en guise de punition.

Elle le regrettait moins qu'elle ne l'aurait cru, car c'était elle qui recevait les visites les plus régulières : un charmant jeune Noir venait tous les après-midi lui apprendre à lire, à écrire et à compter. Muna ne se lassait pas de ses leçons. Il lui donnait des cours en anglais et son cœur tressaillait de joie chaque fois qu'il la félicitait pour sa rapidité et son intelligence.

Ebuka ne les laissait jamais seuls. Il assistait à toutes les leçons, fronçant férocement les sourcils quand l'approbation de son professeur arrachait un sourire à Muna. Elle aurait pu rassurer Ebuka en lui disant que c'était l'éloge qu'elle appréciait, et non la personne – elle n'éprouvait aucun sentiment pour les êtres humains –, mais son irritation l'incitait à sourire plus souvent encore. La jalousie, aussi peu fondée fût-elle, était une punition aussi efficace que la négligence.

Les émotions d'Ebuka étaient imprévisibles. Certains jours, il prêtait aussi peu attention à Muna que quand elle était une esclave ; d'autres fois, quand elle portait des robes – rangées dans les malles de la cave – que Yetunde s'était achetées du temps où elle était jeune et mince, ses yeux brûlants ne la quittaient pas. Il se montrait particulièrement susceptible lorsque Mme Hughes complimentait Muna, lui disant qu'elle devenait très jolie et qu'elle ne tarderait pas à avoir des petits amis.

Chaque fois, il mettait vertement en garde la jeune fille et lui conseillait d'oublier toute idée de mariage. Elle n'était qu'une immigrée clandestine dans un pays étranger et ne pourrait rien faire sans papiers. Mais maintenant que Muna savait lire, elle fut en mesure de rechercher les documents que Yetunde avait présentés pour la voler à l'orphelinat et l'emmener en Angleterre. Elle trouva ainsi un acte de naissance et un passeport au nom de Muna Songoli et un deuxième acte de naissance, jauni et déchiré, au nom de Muna Lawal.

Elle les fourra sous le nez d'Ebuka en lui demandant pourquoi il lui avait menti. Comme il ne répondait pas, elle brûla tout ce qui concernait Muna Lawal en déclarant qu'elle n'avait pas choisi d'avoir un inconnu pour père ni une prostituée pour mère. Sa vie serait meilleure maintenant qu'elle pouvait prouver qu'elle était la fille d'Ebuka Songoli et avait les mêmes droits que lui.

Les yeux d'Ebuka s'embuèrent et elle lui demanda pourquoi. Ne lui avait-elle pas rendu service en brûlant la preuve qu'une esclave avait vécu sous son toit ? Ebuka aurait dû être content. Il n'avait plus à craindre d'être démasqué. Combien de fois n'avait-il pas souhaité le départ de Muna pour mettre fin aux punitions qu'elle lui infligeait ?

Mais il continua à pleurer et avoua qu'il aurait le cœur brisé si elle s'en allait. Il était plus attaché à sa petite esclave qu'il ne l'avait jamais été à sa propre famille et appréciait sa compagnie même quand elle le traitait durement. Elle avait eu raison de dire à l'inspectrice Jordan qu'il l'aimait. Aucun autre visage ne lui était aussi agréable que le sien. Il ne pouvait supporter l'idée de la perdre et regrettait de n'avoir pas détruit lui-même tous ces papiers pour l'obliger à rester avec lui.

Muna regarda sans émotion les larmes ruisseler sur les joues d'Ebuka. Incapable d'éprouver amour ou affection, elle le trouvait faible et stupide de tenir de tels propos. Ne comprenait-il pas le pouvoir qu'il accordait à la petite Muna si tout ce qu'elle avait à faire était de menacer de partir ? Pourtant, elle ne mettrait jamais cette menace à exécution. Ebuka la connaissait bien mal s'il imaginait qu'elle puisse vivre avec un autre homme. L'idée même que son beau et jeune professeur pose la main sur elle lui donnait la nausée.

La cave lui parut soudain glacée et Muna serra sa robe de chambre plus étroitement autour d'elle en s'inclinant pour plonger le regard dans les yeux aveugles de Yetunde. Ce corps momifié n'avait plus aucune joie à lui donner. Morte, Yetunde ne pourrait jamais reconnaître que Muna était devenue sa maîtresse, ni s'emporter parce qu'une moricaude avait mis la main sur tout ce qui lui avait appartenu un jour. Peut-être, après tout, était-ce une forme d'amour que d'éprouver pour quelqu'un une détestation telle que la vie paraissait vide en son absence.

Sortant un sécateur de sa poche, elle coinça le pouce dc Yetunde entre les lames.

L'esprit est une chose mystérieuse, Princesse, dit-elle. *J'ai beau essayer, je n'arrête pas de penser à vous. Peut-être est-ce lié au pardon qui, à en croire le psychologue, permet de tourner la page. Je ne sais pas très bien ce que cela signifie, sinon que le Maître n'a plus du tout pensé à vous depuis qu'il vous a pardonné de lui avoir pris son argent. Peut-être éprouverais-je d'autres sentiments si vous étiez encore en vie et que vous puissiez me dire que vous êtes désolée de m'avoir volée... mais je ne le crois pas. Je saurais que vous mentez. Vous étiez trop heureuse de posséder une vie qui ne vous appartenait pas.*

Elle serra les lames, souriant quand elles s'écrasèrent l'une contre l'autre. Elle avait vu le jardinier se servir d'un sécateur pour couper des branches mortes dans les buissons et, visiblement, il n'était pas plus difficile de trancher la peau parcheminée et l'os friable. Pauvre Princesse. Son pouce tomba de sa main comme une brindille et émit un très léger tintement en touchant le sol de pierre. Comme il ne contenait plus ni sang ni eau, il était léger comme une plume et Muna l'examina avec curiosité avant de le déposer soigneusement dans le giron de Yetunde.

Elle se retourna pour pousser le genou d'Abiola et s'émerveilla de la facilité avec laquelle le corps bascula dans la poussière. Ils ne pesaient plus rien, ni l'un ni l'autre. Même Olubayo, le dernier à mourir, se déplaça aisément sous sa main. La prochaine fois, elle descendrait une scie pour démembrer ses trophées aussi facilement que le jardinier avait élagué les branches mortes. Et quand le jour serait venu de ranger les morceaux dans les malles et les valises qui attendaient de l'autre côté de la cloison, elle les recouvrirait soigneusement de couettes et d'oreillers et demanderait à Mme Hughes de faire une marque indiquant qu'il faudrait les déposer dans la chambre de Muna. Ebuka n'aurait jamais l'idée d'aller chercher des oreillers, et jamais personne d'autre que Muna ne saurait que sa femme et ses fils gisaient sous son lit, dans un tombeau de duvet.

Elle caressa encore la joue de Yetunde. *Il n'y aura pas de larmes pour vous ni pour vos fils, Princesse. Personne ne vous trouvera jamais. Vous êtes à moi et je peux faire de vous ce que je veux.*

Les murs de la chambre forte lui renvoyèrent ses paroles – *Vous êtes à moi… vous êtes à moi* – et elle fut prise d'un violent frisson, le froid devenant soudain si vif que son souffle, plus chaud que l'air, recouvrit le visage de Yetunde tel un voile de fumée. Le métal du sécateur brûlait les doigts de Muna comme de la glace et elle le laissa tomber au fond de sa poche avant de fixer du regard l'obscurité qui s'étendait derrière la porte de la chambre forte.

L'étoffe du kaba frémit sur la poitrine de Yetunde et, l'espace d'un instant, Muna, pétrifiée d'effroi, crut que le cadavre avait respiré. Son cœur battit douloureusement jusqu'à ce que l'air se réchauffe et qu'un parfum de jasmin envahisse ses narines, lui rappelant la cour d'école où elle avait connu le bonheur.

Elle approcha ses lèvres de l'oreille de Yetunde. *Le Diable est ici, Princesse, mais ce n'est pas pour vous aider. C'est Muna qu'Il protège. Il était déjà ici quand vous m'y avez conduite et Il m'a donné de la force. Vous avez été insensée de prendre une enfant dont vous ignoriez tout. Je n'ai jamais été abandonnée et mal-aimée au point que vous puissiez me voler sans craindre de châtiment.*

Muna se figea sur les marches de la cave en s'apercevant, à la lueur de sa torche, que la porte donnant sur l'entrée était entrouverte. Elle s'en voulut de n'avoir pas deviné d'où venait le courant d'air. L'espace qui s'étendait au-delà était plongé dans l'obscurité, mais elle n'espérait guère que le loquet ait pu se soulever tout seul. Lorsqu'elle dirigea le faisceau vers le sommet de l'escalier, la fente s'élargit, révélant Ebuka en pyjama, voûté dans son fauteuil roulant. Il leva la main pour protéger ses yeux de la lumière puis se pencha vers le chambranle pour allumer la lampe de la cave.

La badine était posée en travers de ses genoux et le portable serré dans son poing droit. Voyant Muna, il lui fit signe de le rejoindre.

Je t'ai prise pour un cambrioleur, grommela-t-il, reculant son fauteuil pour la laisser passer. *Qu'est-ce que tu fabriques ici en pleine nuit ?*

Muna glissa la torche dans la poche de sa robe de chambre pour masquer la forme du sécateur.

Je viens souvent ici, Maître, répondit-elle calmement. *Il m'arrive de trouver plus facilement le sommeil sur un sol de pierre dure que dans un lit. J'ai dormi ici pendant de nombreuses années et je n'en garde pas que des mauvais souvenirs.*

Je t'ai entendue parler à quelqu'un.

Je ne parlais qu'à moi-même, Maître. C'est une habitude que j'ai prise quand je vivais ici, en bas. Le son d'une voix me rassurait quand je me sentais trop seule et que j'avais peur dans le noir. Je m'exerçais à prononcer des mots toutes les nuits après que la Princesse m'avait interdit de parler.

Elle fit mine de passer devant Ebuka, mais il lui barra le chemin avec la badine.

J'ai entendu un raclement sur le sol. On aurait dit une porte qui se ferme.

Avez-vous oublié à quoi ressemble la cave, Maître ? Vous y êtes pourtant venu assez souvent. Il n'y a pas de porte… il n'y a que les murs et le sol.

Alors d'où venait ce bruit ? Et pourquoi as-tu balayé les pierres ensuite ? Je n'ai pas rêvé, tout de même.

Muna montra du doigt ses pieds nus.

Je n'ai pas de chaussures, Maître. La Princesse avait de si grands pieds que les siennes ne me vont pas. J'ai tiré une malle au milieu de la cave pour voir si je n'en trouverais pas qui auraient appartenu à Abiola quand il était petit, mais il n'y avait que des pantoufles. J'ai essayé de marcher avec, mais il fallait que je traîne les pieds pour ne pas les perdre. Mme Hughes m'a dit que nous devrions donner tout cela à des œuvres de charité. C'est ce que font les Blancs avec les vêtements dont ils ne veulent plus.

Ebuka ne fut qu'à demi convaincu. Il l'écarta pour scruter le bas de l'escalier.

J'étais sûr que tu étais avec quelqu'un.

Voulez-vous descendre vérifier vous-même, Maître ? Si je cherche le palan pour que vous puissiez quitter votre fauteuil, je pourrais vous aider à descendre comme l'a fait M. Hughes. Je suis plus forte qu'avant.

Ebuka reposa la badine sur ses genoux avec un grognement amusé.

Et ensuite ? Tu m'abandonnerais en bas, c'est ça ? Je n'ai pas confiance. Tu n'hésiterais pas à me laisser enfermé toute la nuit. Tu y verrais certainement une juste punition.

Muna sentit à travers le plancher les premiers frémissements ténus du rire du Diable.

Sans doute, Maître... mais au moins, vous sauriez que personne ne se cache en bas. Si quelqu'un respirait, vous l'entendriez.

Ebuka frissonna.

Il fait un froid de loup. Éteins vite et ferme la porte. Nous te commanderons des chaussures demain matin... des robes aussi, si tu veux.

Muna actionna l'interrupteur, les plongeant à nouveau dans le noir. Ebuka protesta qu'il n'y voyait plus rien et Muna songea qu'il s'était placé dans une position bien vulnérable. D'une seule poussée, elle pouvait lui faire dévaler les marches, et sa vie prendrait fin à jamais. Le Diable la tentait. Son rire enflait et croissait, et ses vibrations étaient si puissantes que Muna avait l'impression que les murs de la cave commençaient à se fissurer.

Pour la première fois, ce pouvoir l'inquiéta. Elle ne voulait pas perdre Ebuka. Pas encore. Pas tant qu'elle aurait besoin de lui. D'un geste décidé, elle tira la porte vers elle et appuya le front contre le battant de bois, écoutant le rire refluer peu à peu. Quand le sol cessa de trembler et que le silence revint, elle chercha de la main l'interrupteur au pied de l'escalier qui montait à l'étage et inonda l'entrée de lumière.

Il faut faire attention quand vous ouvrez cette porte, Maître, dit-elle sévèrement en se tournant vers lui. *Si vous évaluez mal la distance ou si vous vous penchez trop loin, votre fauteuil risque de basculer et vous tomberez de nouveau.*

Ebuka recula avec un sourire en coin.

Cette idée semblait pourtant t'amuser beaucoup tout à l'heure. Aurais-tu enfin appris le sens de l'humour ?

Muna fronça les sourcils, visiblement perplexe.

Pourquoi souhaiterais-je votre mort, Maître ? Je suis contente d'être votre fille.

Il fut surpris par l'affection sincère qui transparaissait dans sa voix.

J'ai dû me tromper. J'aurais pourtant juré que c'était l'idée de me pousser dans l'escalier qui te faisait rire.

Muna hocha la tête.

Je n'ai pas ri, Maître.

Ebuka la dévisagea avec curiosité avant de faire pivoter son fauteuil vers la salle à manger.

C'était un son agréable et heureux, tu sais, lança-t-il par-dessus son épaule. *Je serais content de l'entendre plus souvent. La prochaine fois, laisse-le donc sortir librement de ta bouche au lieu de le retenir de crainte qu'on ne t'entende. Il n'y a pas eu suffisamment de rires dans cette maison.*

M. & Mme R. G. F. HUGHES
25 FORTIS ROW
LONDRES N 10

Madame l'inspectrice,

À l'instant même où j'écris cette lettre, j'ignore encore si je vous l'enverrai. J'ai décroché le téléphone plusieurs fois avant de me raviser. Si je disposais de faits pour étayer mes soupçons, j'hésiterais moins à vous parler. Mais ce n'est pas le cas. L'inquiétude que m'inspire Muna Songoli ne repose que sur l'intuition d'une institutrice à la retraite.

Pendant six ans, j'ai ignoré jusqu'à son existence. Il m'arrivait bien d'apercevoir un visage à la fenêtre mais ce n'est que lorsque les journaux ont mentionné qu'Abiola avait une sœur que j'ai compris à qui appartenait ce visage. Mme Songoli n'était pas une femme commode. La seule fois où je me suis aventurée chez elle, elle m'a clairement fait comprendre que je n'étais pas la bienvenue. Mes relations avec cette famille se limitaient au petit signe de tête que j'adressais à Ebuka ou à ses fils quand je les croisais dans la rue. Ils étaient polis, mais peu liants.

Quand j'ai enfin fait la connaissance de Muna et que je lui ai parlé, j'ai compris instinctivement qu'il y avait un problème. De toute évidence, elle ne mangeait pas à sa faim, elle présentait des signes de maltraitance et ressemblait si peu aux autres Songoli que j'avais du mal à croire qu'elle puisse être la fille d'Ebuka et de Yetunde.

Je regrette de n'avoir pas immédiatement tiré la sonnette d'alarme, mais je me suis laissé persuader par mon mari que s'il se passait quelque chose d'anormal, vous vous en seriez forcément rendu compte pendant votre enquête sur la disparition d'Abiola. De plus, Muna s'est montrée très convaincante quand elle m'a présenté Yetunde et Ebuka comme ses parents. Elle a eu plusieurs fois l'occasion de me parler en tête à tête, notamment quand elle est venue chez moi, et ne les a jamais appelés autrement que Mamma et Papa.

Elle n'a pas dévié de cette ligne une seule fois. Pourtant, à en juger par mon expérience, le lien qui l'unit à Ebuka n'est pas habituel entre une fille et son père. En raison de son infirmité, Ebuka est entièrement dépendant d'elle et il se montre très agité dès qu'il est question qu'elle puisse le quitter pour aller faire sa vie de son côté. L'amour qu'elle lui inspire est manifestement très fort, presque passionnel. Il supporte mal de devoir partager son temps et son attention avec autrui.

Depuis que je connais Muna, je n'ai cessé d'être étonnée par sa vivacité d'esprit et sa remarquable mémoire. Elle comprend tout, elle retient tout. Ce qui ne l'empêche pas de s'obstiner à prétendre que sa maigreur – moins marquée depuis le départ de sa mère – et sa réticence d'autrefois à sortir de la maison étaient dues à sa déficience mentale. Quand j'essaie de la pousser dans ses retranchements en lui rappelant avec quelle rapidité elle a appris à lire et à écrire, elle me répond que son état s'est probablement « amélioré ».

Ne pouvant accepter cette explication, j'ai cherché une autre raison qui puisse justifier qu'une très jeune fille reste enfermée pendant six ans sans jamais mettre le nez dehors. La seule qui fasse sens, selon moi, est que les Songoli aient fait venir Muna en Angleterre comme esclave et l'aient « adoptée », la présentant comme leur fille quand la tragédie s'est abattue sur eux et que la police a mis les pieds dans leur maison.

Je me rends bien compte qu'il n'est pas anodin d'accuser quelqu'un d'esclavage, mais cette histoire m'a fait passer bien des nuits blanches. La première fois que j'ai vu Muna, c'était une enfant terrifiée, presque mutique, à moitié morte de faim. Elle n'a commencé à se développer physiquement et mentalement qu'à partir du moment où elle est entrée en contact avec le monde extérieur, après le départ de Mme Songoli.

Elle affirme catégoriquement qu'Ebuka est son père, mais j'ai du mal à la croire. J'ai tendance à penser qu'elle a subi un lavage de cerveau si efficace et subi tant d'abus (physiques, sexuels, verbaux) qu'elle préfère encore l'enfer qu'elle connaît à celui que pourraient lui faire vivre des inconnus qu'on lui a appris à redouter.

Si vous lisez cette lettre, cela voudra dire que j'ai passé outre aux objections de mon mari. Il est absolument convaincu que Muna régressera si elle est confiée aux services sociaux et qu'on la force à témoigner sur des sujets qu'elle préfère ignorer. Il me conseille vivement de la laisser décider elle-même comment et quand réclamer justice.

Cordialement,

La poussière se dépose.
L'air se réchauffe.
Les araignées tissent leurs toiles.
Il n'y a personne.

Les ténèbres se cachent.
Les ténèbres trompent.
Les ténèbres sont en toi.
Elles attendent.

Minette Walters avait écrit une autre fin pour une première édition[1]. Il nous a paru intéressant de la donner à lire.

1. Arrow Books (Penguin Random House Group), en association avec Hammer, 2015.

Muna se figea sur les marches de la cave en s'apercevant, à la lueur de sa torche, que la porte donnant sur l'entrée était entrouverte. Elle s'en voulut de n'avoir pas deviné d'où venait le courant d'air. L'espace qui s'étendait au-delà était plongé dans l'obscurité, mais elle n'espérait guère que le loquet ait pu se soulever tout seul. Lorsqu'elle dirigea le faisceau vers le sommet de l'escalier, la fente s'élargit, révélant Ebuka en pyjama, voûté dans son fauteuil roulant. Il leva la main pour protéger ses yeux de la lumière puis se pencha vers le chambranle pour allumer la lampe de la cave.

La badine était posée en travers de ses genoux et le portable serré dans son poing droit. Voyant Muna, il lui fit signe de le rejoindre.

Je t'ai prise pour un cambrioleur, grommela-t-il, reculant son fauteuil pour la laisser passer. *Qu'est-ce que tu fabriques ici en pleine nuit ?*

Muna glissa la torche dans la poche de sa robe de chambre pour masquer la forme du sécateur.

Je viens souvent ici, Maître, répondit-elle calmement. *Il m'arrive de trouver plus facilement le sommeil sur un sol de pierre dure que dans un lit. J'ai dormi ici pendant de nombreuses années et je n'en garde pas que des mauvais souvenirs.*

Je t'ai entendue parler à quelqu'un.

Je ne parlais qu'à moi-même, Maître. C'est une habitude que j'ai prise quand je vivais ici, en bas. Le son d'une voix me rassurait quand je me sentais trop seule et que j'avais peur dans le noir. Je m'exerçais à prononcer des mots après que la Princesse m'avait interdit de parler.

Elle fit mine de passer devant Ebuka, mais il lui barra le chemin avec la badine.

J'ai entendu un raclement sur le sol. On aurait dit une porte qui se ferme.

Avez-vous oublié à quoi ressemble la cave, Maître ? Vous y êtes pourtant venu assez souvent. Il n'y a pas de porte… il n'y a que les murs et le sol.

Alors d'où venait le bruit que j'ai entendu ? Et pourquoi as-tu balayé les pierres ensuite ? Je n'ai pas rêvé, tout de même.

Muna montra du doigt ses pieds nus.

Je n'ai pas de chaussures, Maître. La Princesse avait de si grands pieds que les siennes ne me vont pas. J'ai tiré une malle au milieu de la cave pour voir si je n'en trouverais pas qui auraient appartenu à Abiola quand il était petit, mais il n'y avait que des pantoufles. J'ai essayé de marcher avec, mais il fallait que je traîne les pieds pour ne pas les perdre. Mme Hughes m'a dit que nous devrions donner tout cela à des œuvres de charité. C'est ce que font les Blancs avec les vêtements dont ils ne veulent plus.

Ebuka ne fut qu'à demi convaincu. Il écarta Muna pour scruter le bas de l'escalier.

J'étais sûr que tu étais avec quelqu'un.

Voulez-vous descendre vérifier vous-même, Maître ? Si je cherche le palan pour que vous puissiez quitter votre fauteuil, je pourrais vous aider à descendre comme l'a fait M. Hughes. Je suis plus forte qu'avant.

Ebuka reposa la badine sur ses genoux avec un grognement amusé.

Et ensuite ? Tu m'abandonnerais en bas, c'est ça ? Je n'ai pas confiance. Tu n'hésiterais pas à me laisser enfermé toute la nuit. Tu y verrais certainement une juste punition.

Muna sentit à travers le plancher les premiers frémissements ténus du rire du Diable.

Sans doute, Maître… mais au moins vous sauriez que personne n'est caché en bas. Si quelqu'un respirait, vous l'entendriez. Tous les bruits sont beaucoup plus forts quand on est seul et qu'on a peur du noir.

Ebuka se frotta le coude.

Il fait un froid de loup. Éteins vite la lampe et ferme la porte. Nous te commanderons des chaussures demain matin… des robes aussi, si tu veux.

Muna actionna l'interrupteur, les plongeant à nouveau dans le noir. Ebuka protesta qu'il n'y voyait plus rien et Muna songea qu'il s'était placé dans une position bien vulnérable. D'une seule poussée, elle pouvait lui faire dévaler les marches, et sa vie prendrait fin à jamais. Le Diable la tentait. Son rire enflait et croissait, et ses vibrations étaient si puissantes que Muna avait l'impression que les murs de la maison allaient se fissurer.

Elle posa la paume sur le chambranle pour se retenir. Jamais encore elle n'avait senti avec une telle force le pouvoir du Diable ; mais son esprit Lui résistait. Ce n'était pas ce qu'elle voulait. Elle ne pouvait pas se permettre de perdre Ebuka maintenant. Il devait rester son père jusqu'à ce qu'ils aient déménagé et que les Blancs aient cessé de s'intéresser à eux. Autrement, les questions n'en finiraient plus.

Tandis que ces pensées se bousculaient dans l'esprit de Muna, le rire s'apaisa et la maison redevint silencieuse. Agacé, Ebuka demanda à Muna pourquoi il lui fallait tant de temps pour allumer dans l'entrée et, prise d'une confusion soudaine, elle se demanda si les tremblements qu'elle avait sentis ne venaient pas plutôt d'elle que des murs. Était-elle malade dans sa tête, comme Olubayo ?

Elle tendit la main pour tirer la porte de la cave vers elle, mais ses doigts étaient gourds et insensibles. Malgré tous ses efforts, elle fut incapable de refermer la main sur la poignée. Elle plongea le regard dans les ténèbres, en contrebas. Quelque chose bougeait. Quelque chose frémissait. Et l'air qui montait vers elle sentait la mort et la putréfaction.

Un poids s'abattit sur sa nuque, lui faisant ployer les genoux. Elle inclina la tête, terrifiée, quand une voix s'éleva, dénuée de pitié ou d'amour :

— Crois-tu pouvoir Me priver de ce qui M'appartient ? Je suis la Vengeance. Je suis le Châtiment. Je suis la Colère. Je prends des vies en paiement de celles qui ont été prises. Nul ne peut M'échapper.

Des anneaux s'enroulèrent, vigoureux, autour du torse de Muna, expulsant l'air de ses poumons. Dans son esprit, elle vit Yetunde, ses yeux implorant la pitié au moment où la vie la quittait. Muna voulut crier qu'elle regrettait, mais sa bouche refusa de s'ouvrir et, au désespoir, elle se tourna vers Ebuka. Le fauteuil roulant était vide, il était parti.

Elle sentit les Ténèbres l'entraîner. Elle entendit la porte de la cave se refermer.

Et elle sut que le Diable riait.

La poussière se dépose.
L'air se réchauffe.
Les araignées tissent leurs toiles.
Il n'y a personne.

Les ténèbres se cachent.
Les ténèbres trompent.
Les ténèbres sont en toi.
Elles attendent.

Composition réalisée par
Rosa Beaumont

Imprimé en France par CPI
en février 2018

N° d'édition : 56707/01
N° d'impression : 144995